RESPIRACIÓN ARTIFICIAL

RICARDO PIGLIA

RESPIRACIÓN ARTIFICIAL

Seix Barral Biblioteca Breve

Primera edición: agosto 1994

Hecho el depósito que indica la ley 11.723
ISBN 950-731-097-5

Impreso en la Argentina

A Elías y a Rubén,
que me ayudaron a conocer
la verdad de la historia

Primera parte

Si yo mismo fuera el invierno sombrío

We had the experience but missed the meaning,
an approach to the meaning restores the experience.
T.S.E.

I

1

¿Hay una historia? Si hay una historia empieza hace tres años. En abril de 1976, cuando se publica mi primer libro, él me manda una carta. Con la carta viene una foto donde me tiene en brazos: desnudo, estoy sonriendo, tengo tres meses y parezco una rana. A él, en cambio, se lo ve favorecido en esa fotografía: traje cruzado, sombrero de ala fina, la sonrisa campechana: un hombre de treinta años que mira el mundo de frente. Al fondo, borrosa y casi fuera de foco, aparece mi madre, tan joven que al principio me costó reconocerla.

La foto es de 1941; atrás él había escrito la fecha y después, como si buscara orientarme, transcribió las dos líneas del poema inglés que ahora sirve de epígrafe a este relato.

No hubo otra tragedia en la historia de mi familia; ningún otro héroe digno de ser recordado. Varias versiones circulaban en secreto, confusas, conjeturales. Casado con una mujer de fortuna, mujer que llevaba el increíble nombre de Esperancita y de la que se decía que era delicada del corazón y que siempre dormía con la luz encendida y que en sus horas de melancolía rezaba en voz alta para que Dios pudiera oírla, el hermano de mi madre había desaparecido a los seis meses de matrimonio llevándose todo el dinero de su señora esposa para irse a vivir con una bailarina de cabaret de sobrenombre Coca. Con perfecta calma, sin perder su helada cortesía, Esperancita denunció el robo, movió influencias, hasta lograr que la policía lo encontrara, unos meses después, viviendo a todo tren y con nombre supuesto en un hotel de Río Hondo.

Me acuerdo de los recortes de diarios donde se hablaba del caso, escondidos en un cajón más o menos secreto del ropero, el mismo en el que mi padre guardaba *Fisiología de las pasiones y mecánica sexual* del profesor T. E. Van de Velde, autor de *El matrimonio perfecto*, y el libro de Engels sobre *El origen de la familia, la propiedad privada y el Estado*, junto con cartas, papeles y documentos diversos, entre ellos mi propia partida de nacimiento. Después de complicadas operaciones que ocupaban las siestas de mi infancia yo abría el cajón y en secreto espiaba los secretos de aquel hombre del que todos, en casa, hablaban en voz baja. *Convicto y confeso* decía (me acuerdo) uno de los titulares y siempre me emocionaba ese título, como si aludiera a acciones heroicas y un poco desesperadas. "Convicto y confeso": repetía y me exaltaba porque no entendía bien el significado de las palabras y pensaba que *convicto* quería decir invencible.

El hermano de mi madre estuvo preso casi tres años. A partir de entonces es poco lo que se sabe de él; en ese momento empiezan las conjeturas, las historias imaginadas y tristes sobre su destino y su vida extravagante; parece que ya no quiso saber nada con la familia, no quiso ver a nadie, como si se estuviera vengando de un agravio recibido. Una tarde, sin embargo, la Coca había venido a casa. Orgullosa y distante vino a traer parte del dinero y la promesa de que todo sería devuelto. Yo conozco las interpretaciones, los relatos del encuentro, y sé que Esperancita le decía *M'hija* a esa mujer que casi podía ser su madre y que Coca usaba un perfume que mi padre jamás pudo olvidar. "Ustedes —dicen que dijo antes de irse— nunca van a saber qué clase de hombre es Marcelo" y cuando el relato llegaba ahí, fatalmente y casi sin darme cuenta, yo me acordaba de la histórica frase de Hipólito Yrigoyen sobre Alvear después del golpe del '30, extraña asociación, motivada, también, por el hecho de que Esperancita estaba emparentada con el general Uriburu.

A partir de ahí y durante tres años Esperancita recibió, cada dos meses, un cheque hasta que la deuda quedó saldada. De ese tiempo vienen mis primeros recuerdos de ella o más bien una imagen que siempre he pensado que es mi primer recuerdo: una mujer bellísima, frágil, con una expresión de arrogancia y desgano en la cara que se inclina hacia mí mientras mi madre me dice: "A ver, Emilio, ¿qué se le dice a la tía Esperancita?". Se le decía: "Gracias", a ella más que a ninguna otra. Emblema del remordimiento familiar, era como un objeto raro y demasiado fino que nos hacía sentir a todos incómodos y torpes. Me acuerdo que cada vez que ella venía mi madre sacaba la vajilla de porcelana y usaba unos manteles almidonados que crujían como si fueran de papel. Y ella supo venir a casa, de visita, una o dos veces por mes, en general los domingos o los jueves, hasta que se murió.

El hermano de mi madre no llegó a enterarse de que ella había muerto. Desaparecido sin dejar rastros, en alguna de las versiones se decía que seguía preso y en otras que estaba viviendo en Colombia, siempre con la Coca. Lo cierto es que él nunca supo que ella había muerto, nunca supo que cuando Esperancita murió encontraron una carta que le estaba dirigida donde ella confesaba que todo era mentira, que nunca había sido robada y hablaba de la justicia y del castigo pero también del amor, cosa rara siendo quien era.

No podía menos que atraerme el aire faulkneriano de esa historia: el joven de brillante porvenir, recién recibido de abogado, que planta todo y desaparece; el odio de la mujer que finge un desfalco y lo manda a la cárcel sin que él se defienda o se tome el trabajo de aclarar el engaño. En fin, yo había escrito una novela con esa historia, usando el tono de *Las palmeras salvajes;* mejor: usando los tonos que adquiere Faulkner traducido por Borges con lo cual, sin querer, el relato sonaba a una versión más o menos paródica de Onetti. *Ninguno de nosotros, de los que estuvimos ahí la noche en que se entrevió por fin, en la entristecida penum-*

bra que siguió a la tarde del entierro, el secreto de esa venganza cultivada durante años, ninguno de nosotros no pudo no pensar que asistía a la más perfecta forma del amor que un hombre puede dispensar a una mujer; pacto piadoso del que parece difícil prever el carácter o las consecuencias de las heridas infligidas pero no la intención y la deseada bienaventuranza. Así empezaba la novela y así seguía durante 200 páginas. Para evitar el costumbrismo y el estilo oral que hacían estragos en las letras nacionales yo (como quien dice) me había ido a la mierda. Todavía se encuentran algunos ejemplares de la novela en las mesas de saldos de las librerías de Corrientes y hoy lo único que me gusta de ese libro es el título *(La prolijidad de lo real)* y el efecto que produjo en el hombre al que, sin querer, le estaba dedicado.

Extraño efecto, hay que decirlo. La novela apareció en abril. Un tiempo después me llegaba la primera carta.

Primeras rectificaciones, lecciones prácticas *(decía la carta).* Nunca nadie hizo jamás buena literatura con historias familiares. Regla de oro para los escritores debutantes: si escasea la imaginación hay que ser fiel a los detalles. Los detalles: la turra de mi primera mujer, boquita fruncida, se le veían las venas bajo la piel traslúcida. Pésima señal: piel transparente, mujer vidriosa, me di cuenta demasiado tarde. Otra cosa: ¿quién les habló de mi viaje a Colombia? Tengo mis sospechas. En cuanto a mí: he perdido los escrúpulos en relación con mi vida, pero supongo que deben existir otros temas más instructivos. Por ejemplo: las invasiones inglesas; Pophan, un caballero irlandés al servicio de la reina. *Let not the land once proud of him insult him now.* El comodoro Pophan hechizado por la plata del Alto Perú o los paisanos despavoridos huyendo en las chacras de Perdriel. Primera derrota de las armas de la patria. Hay que hacer la historia de las derrotas. Nadie debe mentir en el momento de la muerte. Todo es apócrifo, hijo mío. Me patiné toda la plata del Alto Perú y si ella dice que no, es porque intenta despojarme del único acto digno de mi vida. Sólo los que tienen dinero desprecian el dinero o lo confunden con los malos sentimientos. Fueron un millón seiscientos y monedas, pesos del año '42, resultado de herencias varias y de la venta de unos campos en Bolívar (campos que yo le hice vender con santa intención, como ella reprocha bien, aunque no fui yo quien le hizo morir a los parientes de los que hereda). Traté de poner una boite en Cangallo y Rodríguez Peña, pero me encontraron antes. (¿De dónde sacan lo de Río Hondo?) Le devolví la plata y los intereses: cierto que la Coca fue a verlos y a tu madre por poco le da un síncope. No cuentan que ella le dijo: Me cago en tu alma, la primera vez que Esperancita le dijo M'hija y que hubo que darle sales. Si estuve preso y si salí en los diarios fue porque soy radical, hombre de don Amadeo Sabattini y en ese tiempo nos querían reventar a todos porque se venían las elecciones del '43 que después pararon con el golpe de Rawson. (¿Tampoco te contaron esa historia?) Estábamos desorientados los radicales, sin los ímpetus de las épocas heroicas, cuando defendíamos a tiros el honor nacional y nos hacíamos matar por la Causa. ¿Así que me perdona en el testamento? No ves que es loca, siempre cagó de parada, me consta, porque alguien le dijo que era más elegante. Antes de morir dice que yo no la robé. Así de misteriosa es la oligarquía y esas son las hijas que engendra. Gráciles, ilusorias, inevitablemente derrotadas. No se debe permitir que nos cambien el pasado. *Haced que el país antes orgulloso de él no lo insulte ahora,* decía Pophan. La Coca se instaló por su cuenta en el Uruguay, departamento de Salto. A veces tengo noticias de ella y si me vine a vivir a este lugar fue para estar cerca de esa mujer, tenerla del otro lado del río. No se digna recibirme porque es altiva y trivial, porque está vieja. Me levanto al alba; a esa hora todavía se ve la luz de los farolitos, en la otra orilla. Enseño historia argentina en el Colegio Nacional y a la noche voy a jugar al ajedrez al Club Social. Hay un polaco que es un as; acostumbraba jugar con el príncipe Alekhine y con James Joyce en Zurich, y uno de los anhelos de mi vida es empatarle una partida. Cuando está borracho canta y habla en polaco; anota sus pensamientos en un cuaderno y se dice discípulo de Wittgenstein. Le he dado a leer tu novela: la leyó con atención sin sospechar que ese tipo del que se cuentan sucios sueños soy yo mismo. Prometió escribir una reseña en *El telégrafo,* diario local. Ya publicó varias notas sobre ajedrez y también algunos extractos del cuaderno donde registra sus ideas. Su ilusión es escribir un libro enteramente hecho de citas. No muy distinta es tu novela, escrita a partir de los relatos familiares; a veces me parece escuchar la voz de tu madre; que hayan sabido disfrazarla con ese estilo enfático no deja de ser, también, una muestra de delicadeza. Las distorsiones, en todo caso, derivan de ahí. Debo pedirte, por otro lado, la máxima discreción respecto a mi situación actual. *Discreción máxima.* Tengo mis sospechas: en eso soy como todo el mundo. De todos modos, ya te digo, actualmente no tengo vida privada. Soy un ex abogado que enseña historia argentina a jóvenes incrédulos, hijos de comerciantes y chacareros de la localidad. Este trabajo es saludable: no hay como estar en contacto con la juventud para aprender a envejecer. Hay que evitar la introspección, les recomiendo a mis jóvenes alumnos, y les enseño lo que he denominado *la mirada histórica.* Somos una hoja que boya en ese río y hay que saber mirar lo que viene como si ya hubiera pasado. Jamás habrá un Proust entre los historiadores y eso me alivia y debiera servirte de lección. Podés escribirme, por ahora, al Club Social, Concordia, Entre Ríos. Te saluda: el Profesor Marcelo Maggi Pophan. Educador. Radical sabattinista. Caballero irlandés al servicio de la reina. El hombre que en vida amaba a Parnell, ¿lo leíste? Era un hombre despectivo pero hablaba doce idiomas. Se planteó un solo problema: ¿cómo narrar los hechos reales?

PD. Por supuesto tenemos que hablar. Hay otras versiones que tendrás que conocer. Espero que vengas a verme. Ya casi no me muevo, he engordado demasiado. La historia es el único lugar donde consigo aliviarme de esta pesadilla de la que trato de despertar.

Esa fue la primera carta y así empieza verdaderamente esta historia.

Casi un año después yo iba hacia él, muerto de sueño en el vagón destartalado de un tren que seguía viaje al Paraguay. Unos tipos que jugaban a los naipes sobre una valija de cartón me convidaron con ginebra. Para mí era como avanzar hacia el pasado y al final de ese viaje comprendí hasta qué punto Maggi lo había previsto todo. Pero eso pasó después, cuando todo terminó; antes recibí la carta y la fotografía y empezamos a escribirnos.

2

Alguien, un crítico ruso, el crítico ruso Iuri Tinianov, afirma que la literatura evoluciona de tío a sobrino (y no de padres a hijos). Expresión enigmática que nos ha de servir por el momento, ya que es el mejor resumen de tu carta que conozco.

Por mi lado, ningún interés en la política. De Yrigoyen me interesa el *estilo*. El barroco radical. ¿Cómo es que nadie ha comprendido que en sus discursos nace la escritura de Macedonio Fernández? Tampoco comparto tu pasión histórica. Después del descubrimiento de América no ha pasado nada en estos lares que merezca la más mínima atención. Nacimientos, necrológicas y desfiles militares: eso es todo. La historia argentina es el monólogo alucinado, interminable, del sargento Cabral en el momento de su muerte, transcripto por Roberto Arlt.

Ahora bien, ¿construiremos a dúo la gran saga familiar? ¿Volveremos a contarnos toda la historia? Por el momento te adjunto el siguiente resumen.

Se decía de vos:

1. Que le habías hecho la corte a Esperancita al enterarte que era biznieta de Enrique Ossorio porque estabas interesado en un cofre donde se guardaban los documentos de la familia.

2. Que en realidad eran esos papeles los que de veras te interesaban, pero que no había una cosa sin la otra.

3. Que desde hace años trabajás en una biografía (o algo así) de ese prócer olvidado que fue secretario privado de Rosas y espía al servicio de Lavalle.

4. Que te hiciste yrigoyenista en la década del treinta, a destiempo como en todo, y que eso está oscuramente ligado a tu fuga con la Coca.

5. Que si vivís en Concordia, pueblo de frontera, es porque te dedicás al contrabando.

Existen por supuesto otras versiones y varias se fraguaron, para decir la verdad, mientras velaban a Esperancita, que parecía una muñeca de porcelana, cubierta de tules y flores de azahar. Nadie la lloraba, pobre mujer, y algunos dicen que antes de morir la escucharon repetir dos veces: Buenos Aires, Buenos Aires, igual que a José Hernández en el momento de expirar en los brazos de su hermano Rafael. Como ves, le escribo a Maggi, ella no murió con tu nombre en sus labios.

El único que te nombró fue don Luciano Ossorio, el padre de la difunta, que ya pasó los noventa años y se mueve en una silla de ruedas. Cuando me vio entrar al velatorio cruzó el salón haciendo crepitar las llantas de goma sobre el piso de parquet. Usted, me dijo, le escribo a Maggi, se parece a Marcelo. Una manta escocesa le cubría las piernas y alzó su cara de buitre para decirme: ¿Usted lo ve a Marcelo? ¿El no le ha preguntado por mí?

¿Entonces lo viste a don Luciano? Tullido y todo, él es el único que vale la pena entre toda esa banda de tilingos. No sé si le conocés la historia. En el año '31, en una cancha de paleta donde se festejaba el 25 de mayo, un tipo medio borracho le metió un tiro. El viejo estaba en el palco haciendo un discurso y el borracho dijo: Que se calle ese mamao, y sacó el revólver que le habían dado para disparar una salva en homenaje a la presencia del embajador inglés que había viajado expresamente a Bolívar invitado por el viejo, que era dueño de casi todo el partido, y le metió un tiro. Después que pasó el barullo el viejo se puso pálido pero igual siguió hablando, teniéndose fuerte de la baranda del palco embanderado, y nadie se hubiera dado cuenta de nada si no fuera porque el viejo empezó a entreverar puteadas en el discurso, hasta que de pronto se le oyó decir, muy claro por el micrófono: Me cagaron. Me cagaron, dijo. Son los del Klan radical, dijo el viejo y se vino al suelo. El tipo que lo había herido era un ex jockey que se ganaba la vida corriendo cuadreras en los hipódromos clandestinos de la zona y le dieron tantos palos que quedó medio tocate un tango y nunca se pudo saber la verdad. Lo único que el jockey alcanzó a decir antes que empezaran a felpearlo fue que le habían dicho que el revólver estaba cargado con balas de fogueo. Al viejo el tiro le entró por un costado y le rozó la columna y lo dejó inválido para toda la vida. Y pensar, me decía, que lo único que realmente me interesa en el mundo, aparte de la política, es culear y andar a caballo. Al verlo uno tenía tendencia a ser metafórico y él mismo reflexionaba metafóricamente. Estoy paralítico, igual que este país, decía. Yo soy la Argentina, carajo, decía el viejo cuando deliraba con la morfina que le daban para aliviarle el dolor. Empezó a identificar la patria con su vida, tentación que está latente en cualquiera que tenga más de 3.000 hectáreas en la pampa húmeda. Se inyectaba a toda hora y eso le daba una rara lucidez y le fue haciendo cambiar el modo de pensar, con decirte que al final quería regalarles la tierra a los peones. En el año 1902 se había comprado medio partido de Bolívar a veinte pesos la hectárea en un remate judicial amañado por la gavilla de Ataliva Roca. De vez en cuando hablaba de eso y el remordimiento no lo dejaba dormir. Los milicos metieron a todos los gringos en un tren carguero, contaba, y los mandaron al infierno, por el lado de las salinas de Carhué. ¿Qué se habrá hecho de toda esa pobre gente?, decía el viejo, que en el fondo había empezado a pensar que el tiro en la columna se lo tenía merecido. Si sabré yo lo bárbaro que hay que ser en este país para llegar a algo, decía el viejo. Los hijos lo tenían recluido en un ala de la casa y le daban toda la droga que quisiera con tal que se dejara de joder. Yo lo quiero a ese hombre, me escribía Maggi, y si te confundió conmigo es porque yo tenía tu edad cuando empecé a frecuentarlo. Siempre me entendí mejor con él que con su hija Esperancita, a quien Dios tenga en la gloria. A veces lo sacaba a tomar sol, empujando la silla de ruedas, y el viejo estaba hablando lo más tranquilo y de pronto daba vuelta la cara, lívido, y me decía: Nunca aceptés decir un discurso arriba de un palco aunque sea el 25 de mayo. ¿Me oís, Marcelo? Aunque sea el 25 de mayo y esté el embajador inglés y toda la parentela, vos no aceptés porque es ahí donde los tipos aprovechan para meterte un tiro en la columna vertebral. En realidad, yo empecé a visitarlo por encargo del partido durante la segunda abstención: sabíamos que estaba cambiando y queríamos ver si nos ponía la firma en un documento contra el fraude, porque el viejo había estado entre los fundadores de la Unión Conservadora en la época de la ruptura entre Roca y Pellegrini y después había sido Senador y tenía mucho prestigio. El viejo firmó lo más pancho, y eso que era primo hermano del general Uriburu. Pero con estos papelitos no vamos a ningún lado, decía. Ma qué voto secreto ni qué niño muerto. Hay que armar a la peonada. Hay que armar a la peonada, decía el viejo, ¿no se dan cuenta? A estos calzonudos hay que correrlos a tiros. La peonada, decía el viejo, ¿con quién está? Así fue como empecé a visitarlo y así fue como la conocí a Esperancita. Fue el viejo, por otro lado, el que empezó a hablarme de Enrique Ossorio, que era su abuelo, y me dejó ver el cofre con el archivo de la familia. La lectura de esos papeles y el romance con la hija vinieron juntos. No sé por qué lado me pasaba la pasión en ese entonces pero ella me parecía dulce y era muy joven. La verdad que yo al principio iba a la casa a hablar con el viejo y él de a poco empezó a desenterrar la historia del suicida, del traidor, del buscador de oro. Pero ésa es otra parte del cuento, que ya te voy a contar, porque en eso, quién te dice, vas a poder ayudarme, me escribía Maggi. Lo cierto es que trabajo en esos papeles desde hace años y a veces pienso que don Luciano no se muere porque está esperando que yo termine y no quiere sentirse decepcionado. Claro que para todos el viejo está loco, pero también para todos estaba loco Enrique Ossorio e incluso yo mismo, sin ir más lejos.

¿Así que me dedico al contrabando? ¿Por qué no? Al fin y al cabo este país le debe la independencia al contrabando. Todos se dedican a eso por aquí, cosa de nada; pero yo, como ya habrás de ver, contrabandeo otras ilusiones.

Anoche, por ejemplo, me quedé hasta la madrugada discutiendo con Tardewski, mi amigo polaco, ciertas modificaciones que podrían introducirse en el juego del ajedrez. Hay que elaborar un juego, me dice, en el que las posiciones no permanezcan siempre igual, en el que la función de las piezas, después de estar un rato en el mismo sitio, se modifique: entonces se volverán más eficaces o más débiles. Con las reglas actuales, dice, me escribe Maggi, esto no se desarrolla, esto permanece siempre idéntico a sí mismo. Sólo tiene sentido, dice Tardewski, lo que se modifica y se transforma.

En estos debates figurados matamos los ocios de provincia; porque en provincia, como se sabe, la vida es monótona. Un abrazo. Soy el profesor Marcelo Maggi.

3

Empezamos a escribirnos y nos escribimos durante meses. No tiene sentido que reproduzca todas esas cartas.

Las he vuelto a releer y no encuentro allí ninguna evidencia clara que pudiera haberme hecho prever lo que pasó. Al principio todo era como un juego: él acentuaba su empaque pedagógico y se divertía. Me narraba de un modo moroso e irónico su vida provinciana, me describía con cierto detalle sus conversaciones con Tardewski, preguntaba, sin demasiado entusiasmo, datos sobre mi existencia y sobre mi situación, y llevaba adelante una especie de pacífica polémica con mi tendencia a buscarle segundas intenciones a su vida. Tus cartas me hacen gracia, me escribía, demasiado interrogativas, como si hubiera un secreto. Hay un secreto, pero no tiene ninguna importancia. A mis años aprendí que no necesito esconder nada; aprendí, quiero decir, me escribía Maggi, lo que ya sabía: que no necesito justificaciones. No te escribo, entonces, me escribía Maggi, porque busque rescatar algo en medio de esta desolación, te escribo porque los años me han fijado los recuerdos como un sarro y el pasado se ha convertido para mí en un viejo tullido. Tal vez por eso necesito un testigo, un confidente tan crédulo como vos, tan familiar, alguien, en fin, que me escuche con atención y desde lejos. Como ves trato de ser sincero, me escribía Maggi desde Concordia, provincia de Entre Ríos.

Por otro lado se dedicaba, cada vez con menos entusiasmo, a desmentir o ajustar algunos de los datos que yo manejaba acerca de su pasado. ¿De dónde sacaste esa versión sobre la Coca?, me escribió, por ejemplo, una vez. A ella le gustaba de alma la noche, pero no tenía nada de perversa. A lo sumo tenía esa necesaria cuota de perversión que hace más llevadera la vida, pero no más. Era feliz como era: jamás quiso tener un hijo, jamás se arrepintió de nada que hubiera hecho. El que no está a la altura de su deseo, decía la Coca, ese es uno a quien el mundo puede llamar un cobarde. En el año '33 la conocí porque estuve un tiempo escondido en una boite de Rosario que regenteaba un correligionario que había sido comisario de policía. La Coca trabajaba ahí y yo le parecía un bicho raro; la verdad que tenía el aire involuntario de un conspirador de Dostoievski; ella pensó que yo era un anarquista, una especie de místico o de ácrata, y supongo que por eso se fijó en mí. Me pasé dos meses metido en una piecita que había en los altos del cabaret, leyendo *La historia de las intervenciones federales* de Sommariva y haciendo palabras cruzadas. A la madrugada, cuando se había sacado a todos los tipos de encima, la Coca se venía conmigo a tomar mate y yo le hablaba de Leandro Alem.

A veces incluía algunas referencias a su pasado político, pero cada vez menos y como sin entusiasmo. Nadie puede imaginarse lo que fue para nosotros, los radicales, el año '45. Para peor yo me pasé lo mejor de la *soirée* en la cárcel, así que te podés figurar. Salí en el '46 y el país estaba tan cambiado que yo parecía un extravagante, una especie de dandy de la generación del '80 recién desembarcado de la máquina del tiempo. Los muchachos se reunían en la Plaza y nosotros lo escuchábamos al Chino que nos recomendaba Cavar hondo en el surco de la esperanza argentina (siempre le gustaron las imágenes agrarias a ese hombre). Cuando empecé a entender un poco ya había pasado todo y estábamos metidos en otro circo con el capitán Gandhi, la Junta Consultiva, el Tirano Prófugo y toda la parafernalia.

Era siempre elusivo y si hubiera que buscar un lugar donde pueda decirse que quiso anticipar lo que pasó, sólo podría encontrar esta especie de frágil estampa. Estoy convencido de que nunca nos sucede nada que no hayamos previsto, nada para lo que no estemos preparados. Nos han tocado malos tiempos, como a todos los hombres, y hay que aprender a vivir sin ilusiones. El amigo de un amigo tuvo una vez un accidente: un tipo medio loco lo atacó con una navaja y lo tuvo secuestrado en el baño de un bar casi tres horas. Quería que le dieran un auto y pasaporte y que lo dejaran cruzar al Brasil, de lo contrario iba a tener que matarlo (al amigo de mi amigo). El loco temblaba como un endemoniado y le puso la navaja en la garganta y en un momento dado lo obligó a arrodillarse y a rezar el padrenuestro. La cosa se iba poniendo cada vez peor, cuando de golpe al loco se le pasó el revire y soltó el arma y empezó a pedirle disculpas a todo el mundo. Un momento de nervios lo tiene cualquiera, decía. El amigo de mi amigo salió del baño caminando como dormido y se apoyó en una pared y dijo: Por fin me ha sucedido algo. Por fin me ha sucedido algo, ¿no es sensacional?, me escribía Maggi.

En realidad, más allá de esas noticias, más allá de las polémicas paródicas que entablábamos de vez en cuando, lo que terminó por convertirse en el centro de la correspondencia de Maggi conmigo fue su trabajo sobre Enrique Ossorio. Estaba escribiendo desde hacía tiempo ese libro y los problemas que se le presentaban empezaron a cruzar sus cartas. Estoy como perdido en su memoria, me escribía, perdido en una selva donde trato de abrirme paso para reconstruir los rastros de esa vida entre los restos y los testimonios y las notas que proliferan, máquinas del olvido. Sufro la clásica desventura de los historiadores, me escribía Maggi, aunque yo no sea más que un historiador amateur. Sufro esa clásica desventura: haber querido apoderarme de esos documentos para descifrar en ellos la certidumbre de una vida y descubrir que son los documentos los que se han apoderado de mí y me han impuesto sus ritmos y su cronología y su verdad particular. Sueño con ese hombre, me escribía. Lo veo según una litografía de época: magnánimo, desesperado, en los ojos el brillo febril que lo llevó a la muerte. Se fue empecinando cada vez más en una obsesión suicida que encerraba, sin embargo, toda la verdad de su época. Se dice de él que fue un traidor: hay hombres a quienes la historia los destina a la traición y él fue uno de ellos. Pero lo supo siempre, me escribía Maggi, lo supo desde el principio y hasta el final, como si hubiera comprendido que ése era su destino, su modo de luchar por el país.

De hecho, la historia de Enrique Ossorio se fue construyendo para mí, de a poco, fragmentariamente, entreverada en las cartas de Marcelo. Porque él nunca me dijo explícitamente: Quiero hacerte conocer esta historia, quiero hacerte saber qué sentido tiene para mí y lo que pienso hacer con ella. Nunca me lo dijo de un modo directo pero me lo hizo saber, como si en un sentido ya me hubiera nombrado su heredero, como si previera lo que iba a pasar o lo temiera. Lo cierto es que yo fui reconstruyendo, fragmentariamente, la vida de Enrique Ossorio.

Hijo de un coronel de las guerras de la Independencia, Ossorio es uno de los fundadores del Salón Literario. Estudia Leyes y se doctora junto con Alberdi, Vicente F. López, Frías y Carlos Tejedor. Mientras cursa la Universidad se interesa en la filosofía y sigue cursos privados sobre Vico y Hegel con Pedro De Angelis. Sus condiciones eran tan brillantes que De Angelis lo persuade para que continúe sus estudios en París y lo recomienda personalmente en carta a su amigo Jules Michelet. A último momento y por motivos oscuros Ossorio decide no viajar y permanece en Buenos Aires. A fines de 1837 se hace cargo de un puesto en la secretaría privada de Rosas y se convierte en uno de sus hombres de confianza. A mediados de 1838 establece relaciones con el grupo clandestino que prepara la conspiración de Maza. Desde su despacho, Ossorio mantiene una correspondencia en clave con Félix Frías, exiliado en Montevideo, a quien le envía informaciones secretas y documentos. Descubierto el complot nadie sospecha de él y permanece un tiempo cerca de Rosas hasta que, sin que su vida estuviera realmente en peligro, decide huir y se refugia en la casa de su prima Amparo Escalada. Vive escondido en los sótanos de la casa cerca de seis meses. La mujer tendrá un hijo de él, que Ossorio no llegará nunca a conocer. En 1842 cruza a Montevideo. Los exiliados recelan; lo piensan un agente doble. Aislado y desencantado de la política, pasa al Brasil y se instala en Rio Grande do Sul, donde convive con una esclava negra y se dedica a escribir poemas y a contraer la sífilis. La mujer muere atacada de malaria y Ossorio, enfermo, se embarca hacia Chile. En Santiago se ofrece para dar clases privadas y hace imprimir en sus tarjetas personales: *Enrique Ossorio. Maître de philosophie.* Su único alumno es un sacerdote jesuita que trabaja para Rosas, a quien informa sobre la actividad de los exiliados. Al mismo tiempo Ossorio prepara el programa de una *Enciclopedia de las Ideas Americanas* en cuya redacción trata de interesar a Sarmiento, a Alberdi, a Echeverría, a Juan María Gutiérrez. El proyecto fracasa y Ossorio se dedica al periodismo. En 1848 se embarca hacia California, atraído por la fiebre del oro. Deambula por San Francisco y por los desiertos de Sacramento junto con vagabundos, aventureros y prostitutas, mineros chilenos y alemanes. En menos de seis meses logra amasar una fortuna y abandona California para dirigirse primero a Boston, donde frecuenta a Nathaniel Hawthorne, que se ha casado con una hermana de Mary Mann, la amiga de Sarmiento. Luego se instala en Nueva York, dispuesto a dedicarse a la literatura. Pasa noches enteras encerrado en una pieza del East River escribiendo textos diversos (entre ellos una novela utópica); al mismo tiempo inicia una nutrida correspondencia dirigida a Rosas, a De Angelis, a Sarmiento, a Alberdi, a Urquiza, en la que se postula como eje de la futura unión nacional. Ha comenzado a dar señales del delirio que lo llevará a la locura. Una noche, alcoholizado, provoca un escándalo en un prostíbulo de Harlem, en el que resulta muerta una mujer. Si bien no se puede probar su responsabilidad en ese crimen, es desterrado y enviado a Chile. Vive dos meses en Copiapó, aislado, solo, corroído por el insomnio y la alucinación, en medio de una actividad febril, reescribiendo sus papeles y ordenando su archivo personal. Una tarde, luego de pasear por el puerto hasta el crepúsculo, se dirige al cementerio; recostado sobre la tumba de una famosa actriz, fuma un cigarro y mira caer la noche. Después se pega un tiro en la cabeza. Dos semanas más tarde Rosas era derrotado por Urquiza en Caseros.

Maggi manejaba los documentos inéditos conservados por la familia Ossorio durante casi cien años. Son esos papeles los que el padre de Esperancita pone en sus manos: textos, cartas, informes y un *Diario* escrito por Ossorio en Norteamérica. Tenían el cofre cerrado desde los tiempos de Mitre, me escribe Maggi. Los papeles llegaron de Copiapó junto con el oro que Ossorio se había levantado en California. La historia de la familia, podríamos decir, se bifurca ahí. Por un lado está esa fortuna con la cual (según el mismo Ossorio había calculado) era posible comprar la libertad de cinco mil esclavos negros, como si a alguien se le fuera a ocurrir usar esa riqueza para comprar la libertad de cinco mil esclavos negros. Por otro lado el cofre, los papeles, los recuerdos de la infamia. Amparo, la mujer, recibió las dos cosas al mismo tiempo. Desolada por la noticia del suicidio se mantuvo en estado de perpetua viudez y no volvió a casarse. Deambulaba, según dicen, por la casa como un espectro y de vez en cuando se encerraba a solas en el sótano donde había sido seducida y enamorada para siempre por Enrique Ossorio; se encerraba a leer lo que él había escrito durante los años del exilio. En realidad fue ella la que se encargó de conservar esos documentos. Porque a ella le interesaban más las palabras del muerto que todo el oro de California. Leía esos papeles como si fueran los rastros que permitieran entender la desdicha de su vida y ahí, cobijado en esas letras, veía dibujarse el cuerpo apenas recordado pero siempre deseado del suicida. En cuanto al hijo, o sea el padre de don Luciano, se convirtió de hecho en el heredero y lo que hizo fue invertir bien esa fortuna. Invertirla bien y en el momento oportuno, aprovechando esa época del país en la que, con oro en la mano y buenas relaciones, se podía comprar todo el campo que uno quisiera soñar. Por lo que ya en 1862 el abuelo de Esperancita aparece como uno de los estancieros más poderosos entre los hombres que sostienen la candidatura presidencial del general Mitre. Si hubiera sido por él los papeles de su padre debieran haber sido quemados. Y si no lo hizo fue porque su madre lo sobrevivió para impedirlo. De todos modos, antes de morir ese hombre hizo jurar a toda la familia sobre el mismo cofre que nadie daría a conocer públicamente esos documentos hasta que no hubieran transcurrido por lo menos 100 años. Y así fue, me escribía Maggi, como sobrevivieron y yo pude recibirlos. En realidad, me escribía Maggi, trato de usar esos materiales que son como el reverso de la historia y trato de ser fiel a los hechos pero a la vez quisiera hacer ver el carácter ejemplar de la vida de esa especie de Rimbaud que se alejó de las avenidas de la historia para mejor testimoniarla. Enfrento dificultades de diverso orden. Por de pronto está claro que no se trata para mí de escribir lo que se llama, en sentido clásico, una Biografía. Intento más bien mostrar el movimiento histórico que se encierra en esa vida tan *excéntrica*. Por ejemplo: ¿No exaspera Ossorio una tendencia latente en la historia de la constitución de un grupo intelectual autónomo en la Argentina durante la época de Rosas? ¿Sus escritos no son el reverso de la escritura de Sarmiento? Existen por lo demás varias incógnitas ¿Fue realmente un traidor? Es decir, ¿se mantuvo siempre ligado a Rosas? Tengo distintas hipótesis teóricas que son a la vez distintos modos de organizar el material y ordenar la exposición. Es preciso, sobre todo, reproducir la *evolución* que define la existencia de Ossorio, ese sentido tan difícil de captar. Opuesto en *apariencia* al movimiento histórico. Hay como un exceso, un resto utópico en su vida. Pero, escribía el mismo Ossorio (me escribe Maggi), ¿qué es el exilio sino una forma de la utopía? El desterrado es el hombre utópico por excelencia, escribía Ossorio, me escribe Maggi, vive en la constante nostalgia del futuro.

Estoy seguro, por lo demás, que el único modo de captar ese orden que define su destino es alterar la cronología: ir desde el delirio final hasta el momento en que Ossorio participa, con el resto de la generación romántica, en la fundación de los principios y de las razones de eso que llamamos la cultura nacional. De ese modo, quizás, por medio de esa inversión, se podrá captar qué es lo que *expresan* las desventuras de ese hombre. Así, esa vida (parecía recomendarme Maggi) debe ser escrita a partir del suicidio, y en el comienzo del libro deben estar estas líneas, que Ossorio escribió antes de matarse. *Escuche Ud.: pues con la muerte en mí tengo experiencias. Camino odioso, peligrosísimo, el de la soledad. Para todos mis paisanos o compatriotas: Que yo no obrase en esta guerra sino por mi propia convicción. ¿Habremos de estar siempre alejados de la tierra natal? Hasta los ecos de la lengua de mi madre se apagan en mí. El exilio es como un largo insomnio. Sé que fuera de mí nadie creerá en mí en todo el resto del mundo. Se han de descubrir muchas infidencias todavía. ¡Ah, viles! Adiós, hermano. Quiero ser sepultado en la ciudad de Buenos Aires: éste es el mayor deseo que le pido haga cumplir; se lo ruego por el Sol de Mayo.* ***No se desapasionen porque la pasión es el único vínculo que tenemos con la verdad.*** *Respeten mis escritos, debidamente ordenados, a los que yo aquí nombro como sigue: mis Anales. ¿Quién va a escribir esta historia? Sea cual sea la vergüenza que me alcance no quiero yo renunciar ni a mi desesperación, ni a mi decencia. Me gusta y siempre me ha gustado su antefirma y permítame que la imite: —Patria y Libertad—. Y he de tutearte, Juan Bautista, con tu permiso, por esta vez. Tuyo. Tu compadre, Enrique Ossorio, el que va a morir.*

4

Pasé la noche casi desvelado por culpa del calor y ahora estoy sentado de cara al fresco de la ventana: la luz del alba titila, frágil, y enfrente se ve pasar el río entre los sauces; el agua a veces sube, arrasa todo. La gente, acá, aprende a vivir en las orillas de la desgracia. Los turistas llaman a esta miseria color local. Los lugares de frontera, según parece, son pintorescos. Tardewski dice que la naturaleza ya no existe sino en los sueños. Sólo se hace notar, dice, la naturaleza, bajo la forma de la catástrofe o se manifiesta en la lírica. Todo lo que nos rodea, dice, es artificial:

lleva las señas del hombre. ¿Y qué otro paisaje merece ser admirado? Pensaba en eso, recién, antes de empezar a escribirte. Complicaciones diversas, difíciles de explicar por carta, me hacen creer que por un tiempo no tendrás noticias mías. La correspondencia, en el fondo, es un género anacrónico, una especie de herencia tardía del siglo XVIII: los hombres que vivían en esa época todavía confiaban en la pura verdad de las palabras escritas. ¿Y nosotros? Los tiempos han cambiado, las palabras se pierden cada vez con mayor facilidad, uno puede verlas flotar en el agua de la historia, hundirse, volver a aparecer, entreveradas en los camalotes de la corriente. Ya habremos de encontrar el modo de encontrarnos.

Algunos contratiempos inesperados me han obligado a cambiar mis planes. De todos modos me gustaría que en algún momento pudieras venir a verme. Ya te avisaré el modo y la forma. ¿Me harías entretanto el favor de visitarlo a don Luciano Ossorio y darle saludos míos? No sé si podré alcanzar a escribirle. Te he dicho más de una vez, de un modo sin duda demasiado enfático o cómico, que la historia es la que para mí arma estas tramas. No debemos desconfiar, por otro lado, de la resistencia de lo real o de su opacidad. La paloma que siente la resistencia del aire, dice mi amigo Tardewski citando a Kant: La paloma que siente la resistencia del aire piensa que podría volar mejor en el vacío.

En el telar de esas falsas ilusiones se tejen nuestras desdichas. Te abraza. Marcelo Maggi.

Hace un rato recibí tu carta. Punto uno: por supuesto iré a verte cuando quieras. Punto dos: ¿qué significa el *aviso* de que por un tiempo no voy a recibir noticias tuyas? Quiero aclararte que no tenés ninguna obligación de escribirme a fecha fija, ninguna obligación de contestarme a vuelta de correo o cosa parecida. No me parece que se trate de jugar una carta atrás de otra como en el truco. No me parece que haya que confundir la correspondencia con una deuda bancaria, si bien es cierto que en algo están ligadas: las cartas son como letras que se reciben y se deben. Uno siempre tiene algún remordimiento por algún amigo al que le *debe* una carta y no siempre la alegría de recibirlas compensa la obligación de contestarlas. Por otro lado, la correspondencia es un género perverso: necesita de la distancia y de la ausencia para prosperar. Solamente en las novelas epistolares la gente se escribe estando cerca, incluso viviendo bajo el mismo techo se mandan cartas en lugar de conversar, obligados por la retórica del género, al cual dicho sea de paso (al género epistolar) lo liquidó el teléfono, volviéndolo totalmente anacrónico (habría que decir que con Hemingway se pasó del género epistolar al género telefónico: no porque en sus relatos se hable mucho por teléfono, sino porque las conversaciones, aunque los personajes estén sentados frente a frente, por ejemplo en un bar o en la cama, tienen siempre el estilo seco y cortado de los diálogos telefónicos, ese modo de establecer la relación entre los interlocutores que el lingüista Roman Jakobson —para usar mis conocimientos universitarios y enfrentar, de paso, la ciencia imperial de nuestro tiempo con la anacrónica artesanía de esa disciplina practicada por vos y que vive ya su ocaso después del esplendor que la sostuvo durante el siglo XIX, cuando se convirtió, con Hegel, en el sustituto laico de la religión; se cierran los guiones que enmarcan la digresión sobre la lingüística y la historia— llama función fáctica del lenguaje y que podría representarse, en el caso de Hemingway, más o menos de la siguiente forma: ¿Estás bien? Sí, bien. ¿Vos? Bien, muy bien. ¿Una cerveza? No estaría mal, una cerveza. ¿Helada? ¿Qué cosa? La cerveza, ¿helada? Sí, helada, etc., etc. Entonces el género epistolar ha envejecido y sin embargo te confieso que una de las ilusiones de mi vida es escribir alguna vez una novela hecha de cartas. En realidad, ahora que pienso, no hay novelas epistolares en la literatura argentina, claro que eso se debe (para confirmar una de las teorías insinuadas en tu más bien melancólica carta recién recibida) a que en la Argentina no tuvimos siglo XVIII. De todos modos, más allá de esa ilusión de llegar a escribir alguna vez un relato hecho de cartas, aparte de eso, algunas noches, cuando es la humedad de Buenos Aires lo que a mí no me deja dormir, se me da por pensar en todas las cartas que habré escrito en mi vida, cargadas como han de estar, si pudiera leerlas juntas, de corrido, con proyectos, ilusiones, noticias varias sobre ese otro que yo fui durante esos años mientras las escribía. ¿Qué mejor modelo de autobiografía se puede concebir que el conjunto de cartas que uno ha escrito y enviado a destinatarios diversos, mujeres, parientes, viejos amigos, en situaciones y estados de ánimo distintos? Pero de todos modos, se podría pensar, ¿qué encontraría uno de todas esas cartas? O al menos ¿qué podría encontrar yo? Cambios en mi letra manuscrita, antes que nada; pero también cambios en mi estilo, la historia de ciertos cambios en el estilo y en la manera de usar el lenguaje escrito. ¿Y qué es en definitiva la biografía de un escritor sino la historia de las transformaciones de su estilo? ¿Qué otra cosa, salvo esas modulaciones, se podría encontrar en el final de ese trayecto? No creo, por ejemplo, que se pudiera encontrar en esas cartas experiencias que valgan la pena. Sin duda uno podría encontrar o recordar allí acontecimientos, hechos mínimos, incluso pasiones de su vida que ha olvidado, detalles; el relato, quizás, de esos acontecimientos escritos mientras se los vivía, pero nada más. En el fondo, como decía bien ese amigo tuyo a quien el loco lo agarró con una navaja, en el fondo no puede pasarnos nada extraordinario, nada que valga la pena contar. Quiero decir, en realidad, es cierto que nunca nos pasa nada. Todos los acontecimientos que uno puede contar sobre sí mismo no son más que manías. Porque a lo sumo ¿qué es lo que uno puede llegar a *tener* en su vida salvo dos o tres experiencias? Dos o tres experiencias, no más (a veces, incluso, ni eso). Ya no hay experiencia (¿la había en el siglo XIX?), sólo hay ilusiones. Todos nos inventamos historias diversas (que en el fondo son siempre la misma), para imaginar que nos ha pasado algo en la vida. Una historia o una serie de historias inventadas que al final son lo único que realmente hemos vivido. Historias que uno mismo se cuenta para imaginarse que tiene experiencias o que en la vida nos ha sucedido algo que tiene sentido. Pero ¿quién puede asegurar que el orden del relato es el orden de la vida? De esas ilusiones estamos hechos, querido maestro, como usted sabe mejor que yo. Por ejemplo, siempre me acuerdo con nostalgia de la época en que era estudiante. Vivía solo, en una pensión, en La Plata, solo por primera vez en mi vida; tenía 18 años y la sensación de que las aventuras se sucedían una atrás de otra. Una detrás de otra me sucedían las aventuras (al menos lo que yo pensaba que eran aventuras) en aquel tiempo. No sólo con mujeres, aunque en esa época empezó a irme muy bien (ninguna virtud particular, ningún resultado especial de mi capacidad de seducción: en Humanidades había más o menos 38 mujeres por cada tipo, con lo cual, si uno no levantaba ahí podía tener la seguridad de que, sin saberlo, sufría una especie particular de lepra que sólo podían percibir las mujeres). No sólo con mujeres, ya te digo, sino que pasaban cosas. Yo era un tipo *disponible*, en eso consistía la sensación fascinante de vivir en medio de la aventura. Podía levantarme en mitad de la noche o salir al atardecer, subir a un tren y bajarme en cualquier lado, entrar en un pueblo desconocido, pasar la noche en un hotel, cenar entre extraños, viajantes de comercio, asesinos, caminar por calles vacías, sin historia, un tipo anónimo, un extranjero que observa o se imagina las aventuras que se desencadenan a su alrededor. Esa era para mí, en aquel tiempo, la posibilidad fascinante de la aventura. Ahora me doy cuenta que, no bien los hijos de mamá se van de casa, la realidad se les convierte instantáneamente en una especie de representación figurada de lo que fue por ejemplo para Hermann Melville dedicarse a cazar ballenas en el mar blanco. Los bares son nuestros barcos balleneros, lo que no deja de ser a la vez cómico y patético. Para colmo en esa época yo estaba convencido de que iba a ser un gran escritor. Tarde o temprano, pensaba yo, me voy a convertir en un gran escritor; pero primero, pensaba, debo tener aventuras. Y pensaba que todo lo que me iba pasando, cualquier huevada que fuera, era un modo de ir haciendo ese fondo de experiencias sobre el cual los grandes escritores, suponía yo, construían sus grandes obras. En aquel tiempo, a los 18, 19 años yo pensaba que al llegar a los 35 habría agotado ya todas las experiencias y a la vez iba a tener una obra hecha, una obra tan diversa y de tal calidad que me iba a poder ir cuatro o cinco meses a París a pasarme la gran vida (ese era para mí el modelo más espectacular del triunfo, supongo). Llegar a París a los 35 años, saturado de experiencias y con toda una obra escrita, pasear entonces por los bulevares, como un tipo verdaderamente canchero, y que está de vuelta de todo, se supone que pasea por los bulevares de París. Soñaba con eso a los 18 años y ya ves, tengo más de 30 años, escribí un libro que cada vez me gusta menos y eso no sería nada, si no fuera porque desde hace más de un año no puedo escribir, quiero decir, todo lo que escribo me parece bosta. Eso me desespera bastante, te voy a ser franco: Mi vida actual, para ponerme a tono con tu última misiva, me parece bastante insensata cuando de golpe, casi sin querer, puedo pensarla. Voy al diario a escribir bosta (para peor, bosta sobre literatura) y después vengo acá y me encierro a escribir, pero al rato me sorprendo haciendo rayitas, círculos, figuras, dibujitos que parecen el plano de mi alma, o si no escribo cosas que al día siguiente no puedo ni siquiera tocar con la punta de los dedos sin marearme.

Hoy, como vas viendo, en lugar de hacer eso me he sentado acá hace ya más de dos horas, a escribirte esto que parece que no va a terminar nunca, como si ésta fuera para mí la forma de contestar (o compensar) esa suerte de enigmática despedida que era tu última carta. Entonces redacto estas interminables páginas para vos, *my uncle* Marcel, que venís desde tan lejos, desde un lugar tan antiguo, desde una época tan remota de mi vida que tu reaparición (epistolar) ha sido, en estos meses, el triunfo más puro de la ficción que yo puedo exhibir (por no decir el único). Avanzo, entonces, para resumir, con una lentitud vertiginosa en esa especie de novela que trato de escribir. Escucho una música y no la puedo tocar, decía, creo, Coleman Hawkins. Escucho una música y no la puedo tocar: no conozco mejor síntesis del estado en el que estoy. Sé bien de qué se trata, podemos decir que en un sentido escucho, a ratos, esa música, pero cuando empiezo a escribir, lo que sale es siempre el mismo barro crudo en el que ningún sonido se anuncia. Ayer, cuando la cosa se había puesto demasiado pesada, a la madrugada, bajé a la calle y me quedé un rato mirando trabajar unos tipos de Obras Sanitarias (o de Gas del Estado) que hacían un túnel en medio de la noche; los tipos laburaban cavando ese túnel y yo me crucé enfrente hasta el bar Ramos y pedí una cerveza y una ginebra doble porque esa mezcla es el recurso recomendado por Dickens a quienes están a punto de suicidarse. No porque yo hubiera decidido suicidarme o algo por el estilo, sino porque me gustaba esa idea: pensar que era un suicida que camina (se desliza, mejor) por la ciudad en la madrugada mientras unos tipos cavan un túnel en medio de la noche, alumbrados por los focos amarillos de las lámparas; todo eso me parecía (como cuando tenía 18 años) una aventura. ¿No era eso una aventura? ¿Una de esas aventuras que yo había tenido, sin buscarlas, cuando tenía 18 años? ¿A esta desesperación habían quedado reducidas mis aventuras? Entonces entré en el bar Ramos, que a esa hora estaba casi vacío, salvo una mesa donde unos tipos más o menos borrachos acompañaban a unas coperas del Bajo. Se trataba de una especie de festejo o acontecimiento privado y lo encaraban con solemnidad. Sobre todo uno de ellos, vestido con un traje cruzado y corbata *lavalliére,* el pelo teñido de un color arratonado, que de pie y en medio de una leve oscilación que lo obligaba a sostenerse con una mano del respaldo de la silla tratando de mantener la dignidad, levantó la copa para decir un discurso o hacer un brindis por una de las damas presentes (la señorita Giselle) que por lo visto esa noche festejaba su cumpleaños o algún aniversario parecido. "Alzo la copa y brindo", decía el curda, "por la flor que engalana esta *petit fête*, la hermosa señorita Giselle, porque en ella las primaveras de la vida que se han sucedido a través de los años, porque en ella las primaveras se van uniendo, una tras otra, se van uniendo en ella las primaveras" (hablaba medio en verso) "hasta convertir en un ramo de rosas los años fragantes de su vida. Brindo por ella", dijo el curda, "y no por nosotros o por mí, para quienes los años son como el anuncio de la muerte, como la espada de Temístocles que pende sobre nuestros corazones" (dijo la espada de Temístocles ¿no es maravilloso?). Después de lo cual todos los curdas y las damas aplaudieron y la señorita Giselle atravesó su cuerpo vestido de raso sobre la mesa para abrazarlo mientras le decía "Gracias, Marquitos. Gracias, mi querido, estoy tan emocionada, sos el artista al que las chicas siempre vamos a querer". Y le dio un beso y todos estaban emocionados y Giselle volvió a sentarse, pero Marquitos siguió de pie, sosteniéndose con suma dignidad del borde de la silla para no oscilar de un modo demasiado ostentoso y entonces empezó otra vez a decir el mismo discurso. "Quiero brindar y alzo esta copa nuevamente", dijo. "Quiero volver a brindar y alzo esta copa porque yo también estoy hondamente emocionado en esta noche inolvidable", y se pasó el revés de la mano por los ojos, "hondamente emocionado y brindo", dijo Marquitos, "por las damas y los amigos aquí presentes y en especial", dijo, y se detuvo un instante, "en especial". En especial sería bueno que la terminaras; finishela con el brindis, Marcos, le dijo uno de los tipos y Marcos se dio vuelta con suma lentitud hasta quedar de cara a la señorita Giselle, saludó con una inclinación leve y se sentó con mucho cuidado otra vez a la mesa, también él como un artista incomprendido que escucha una música y no la puede tocar, mientras yo terminaba de tomar la cerveza mezclada con ginebra siguiendo el consejo del novelista inglés Charles Dickens y en ese momento, con los tipos que afuera seguían cavando el túnel bajo la luz amarilla, me puse a pensar en el cuadro de Frans Hals: Si *yo mismo fuera el invierno sombrío.* Y entonces ahora tendría que seguir escribiéndote hasta la madrugada, una carta que durara toda la noche para estar acompañado; una carta que durara hasta la madrugada para poder salir después a la calle y ver si Marquitos sigue en el bar Ramos brindando por la señorita Giselle a pesar de tener sobre su corazón la amenaza de la espada terrible de Temístocles. Te abrazo, Marcelo, y espero siempre tus noticias.

Emilio.

PS. Trataré, por supuesto, de verlo a Luciano Ossorio. Te escribiré sobre eso y sobre mi viaje a Concordia (no bien me hagas saber el modo y la forma de encontrarte).

II

1

"Puede llamarme Senador", dijo el Senador. "O ex Senador. Puede llamarme ex Senador", dijo el ex Senador. "Ocupé el cargo entre 1912 y 1916 y fui elegido por la ley Sáenz Peña y en ese tiempo el cargo era casi vitalicio, de modo que en realidad tendría que llamarme Senador", dijo el Senador. "Pero vista la situación actual quizás sería preferible y no sólo preferible sino incluso más ajustado a la verdad de los hechos y al sentido general de la historia argentina que me llame usted, ex Senador", dijo el ex Senador. "Porque hablando con propiedad ¿qué es un Senador sino alguien que legisla y hace discursos? Pero ¿cuando no legisla? Cuando no legisla se convierte automáticamente en un ex Senador. Ahora bien, si uno mantiene de ese cargo, o mejor, de esa función, la particularidad de hacer discursos, aunque nadie lo oiga y nadie lo contradiga, entonces, en un sentido, uno sigue siendo un Senador. Por lo tanto, prefiero que me llame usted Senador", dijo el Senador.

"No vaya usted a pensar que existe en esto que le digo alguna carga maliciosa o irónica, alguna segunda intención conectada con la moda que en este país se inició en los años '20, sobre todo con Leopoldo Lugones, con el poeta Leopoldo Lugones. Porque ¿en qué consiste esa moda o particularidad? Consiste en desestimar a quienes hacen discursos, a quienes utilizan el lenguaje. Consiste en construir discursos para negar y rechazar las virtudes de aquellos elegidos para expresar con palabras las verdades de su tiempo. Se dice entonces", dijo el Senador, "que se trata solamente de palabras vacías, huecas, y que el único reinado respetable es el de los hechos. Yo estoy de acuerdo, en cierto sentido, siempre que consideremos de qué hechos se trata. Por ejemplo: existen millones de hombres que nunca tienen acceso a la palabra, es decir, que no tienen la posibilidad de expresar públicamente sus ideas en un discurso que sea oído y transcripto taquigráficamente. Por otro lado están los que actúan, ellos están *antes* que las palabras, porque el discurso de la acción es hablado con el cuerpo. El discurso de la acción", dijo el Senador, "es hablado con el cuerpo. Como usted ve: soy un paralítico. Hace casi cincuenta años que estoy sentado en esta silla. Por lo tanto, en mi caso: ¿de quién podría ser yo considerado un representante? ¿De quién que no sea yo mismo? Y sin embargo", dijo, "no era del todo así. Es cierto", dijo, "que si hago discursos es porque estoy solo y me paseo por este cuarto, sobre esta máquina, hablando, porque eso se ha convertido para mí en el único modo posible de pensar. Las palabras son mi única posesión. Y diré más", dijo el Senador, "las palabras son mi única actividad. Por lo tanto, en resumen, no debo ser considerado representativo, dado que tengo atrofiadas las otras funciones que podrían ayudarme a sostener con el cuerpo mis palabras".

"Ahora bien", dijo después, "a Marcelo no me dejaron verlo cuando estuvo preso. Incluso, tengo la sospecha de que él mismo se negó a verme. Me mandó a decir que por el momento no veía razón para que lo tomaran por un mártir. Estudio y pienso y hago gimnasia, me mandó a decir", dijo el Senador que le había dicho Marcelo. "Encontré a un piamontés, Cosme, anarquista de la primera hora, que me está enseñando a cocinar la *bagna cauda*. Por otro lado juego al tute con los muchachos del cuadro: organizamos un campeonato y no me va nada mal. No tengo motivos para tirármelas de mártir, me mandó a decir. Las mujeres escasean mucho, eso sí, pero en compensación hay mucho intercambio intelectual. Se metió de cabeza en la cárcel, se puede decir", dijo el Senador. "Yo le dije", dijo, "hay que pasar la tormenta. Así como viene va para largo, le dije. Los conozco bien, le dije, a éstos los conozco bien: vinieron para quedarse. No creas una palabra de lo que dicen. Son cínicos: mienten. Son hijos y nietos y biznietos de asesinos. Están orgullosos de pertenecer a esa estirpe de criminales y el que les crea una sola palabra, le dije", dijo el Senador, "el que les crea una sola palabra, está perdido. Pero él ¿qué hizo? Quiso ver las cosas de cerca y enseguida lo agarraron. ¿Qué mejor lugar que mi casa para esconderse?", dijo el Senador. "Pero no. Salió a la calle y fue a la cárcel. Ahí se arruinó. Salió desencantado. ¿A usted no le parece que salió desencantado? Yo había llegado a la convicción, en esas noches, mientras el país se venía abajo, de que era preciso aprender a resistir". Dijo que él no tenía nada de optimista, se trataba, más bien, dijo, de una convicción: era preciso aprender a resistir. "¿El ha resistido?", dijo el Senador. "¿Usted cree que él ha resistido? Yo sí", dijo. "Yo he resistido. Aquí me tiene", dijo, "reducido, casi un cadáver, pero resistiendo. ¿No seré el último? De afuera me llegan noticias, mensajes, pero a veces pienso: ¿no me habré quedado totalmente solo? Aquí no pueden entrar. Primero porque yo apenas duermo y los oiría llegar. Segundo porque he inventado un sistema de vigilancia sobre el cual no puedo entrar en detalles". Recibía, dijo, mensajes, cartas, telegramas. "Recibo mensajes. Cartas cifradas. Algunas son interceptadas. Otras llegan: son amenazas, anónimos. Cartas escritas por Arocena para aterrorizarme. El, Arocena, es el único que me escribe: para amenazarme, insultarme, reírse de mí; sus cartas cruzan, saltan mi sistema de vigilancia. Las otras, es más difícil. Algunas son interceptadas. Estoy al tanto", dijo. "A pesar de todo estoy al tanto." Cuando era Senador, dijo, también las recibía. "¿Qué es un Senador? Alguien que recibe e interpreta los mensajes del pueblo soberano". No estaba seguro, ahora, de recibirlas o de imaginarlas. "¿Las imagino, las sueño? ¿Esas cartas? No me están dirigidas. No estoy seguro, a veces, de no ser yo mismo quien las dicta. Sin embargo", dijo, "están ahí, sobre ese mueble ¿las ve? Ese manojo de cartas", ¿las veía yo? sobre ese mueble. "No las toque", me dijo. "Hay alguien que intercepta esos mensajes que vienen a mí. Un técnico", dijo, "un hombre llamado Arocena. Francisco José Arocena. Lee cartas. Igual que yo. Lee cartas que no le están dirigidas. Trata, como yo, de descifrarlas. Trata", dijo, "como yo de descifrar el mensaje secreto de la historia".

Después dijo que, desde el fondo de la fatiga que lo abrumaba, no dejaba de clamar a la Patria por esa Idea de la cual le habían dicho siempre que no podría concebirla porque, "hablando con propiedad", dijo el Senador, "no era una Idea que pudiera concebirse individualmente. Ahora bien: yo estoy solo, estoy aislado y sin embargo *intento* concebirla, intento concebirla y cuando me acerco, *sé* de qué se trata: es como una línea de continuidad, una especie de voz que viene desde la Colonia y el que la escuche, ése, el que la escuche y la descifre, podrá convertir este caos en un cristal traslúcido. Por otro lado hay algo que he comprendido: *eso*, digamos: la línea de continuidad, la razón que explica este desorden que tiene más de cien años, ese sentido", dijo el Senador, "ese sentido, podrá formularles en un *sola* frase. No en una sola palabra porque no se trata de ninguna cosa mágica, pero sí en una sola frase que, expresada, abriría para todos la Verdad de este país. No puedo decirle cuántas palabras tendrá esa frase. No puedo decirlo. No lo sé. Pero sé", dijo el Senador, "que se trata de una sola frase. Como si uno dijera: El movimiento infinito, el punto que todo lo excede, el momento de reposo: infinito sin cantidad, indivisible e infinito. No esa frase. Esa frase es sólo un ejemplo para hacerle ver que no se necesitarán muchas palabras. ¿Se da cuenta hasta dónde me he acercado, hasta qué punto sé de qué se trata? Pero no puedo, sin embargo, concebirla, a la Idea, no puedo, sin embargo, concebirla, aunque estoy para eso y es por eso que *duro*, por eso no me extingo y permanezco. Pero tengo un solo temor", dijo el Senador. "Un solo temor y es éste." Que en la sucesiva atrofia que le iban dejando los años, en un momento determinado, pudiera llegar a perder el uso de la palabra. Ese, dijo, era su temor. "Llegar a concebirla", dijo, "y no poder expresarla".

"¿Qué soy?", dijo después el Senador. "¿Qué es lo que usted está viendo al verme a mí? Está usted viendo al sobreviviente inactivo de una vida bastante patriótica, un tullido paralítico de ambas piernas, que está *durando*. Un jockey me metió un tiro el 25 de mayo de 1931 para vengar una injusticia", dijo el Senador. "Ahora sobrevivo y mi sueño está tan cerca de la vigilia que apenas si se puede llamar sueños. ¿No es todo en mí el signo de una brutal realización de la muerte? Y sin embargo", dijo. "Y *sin embargo*". Se hamacaba en su silla de ruedas: su cara de buitre iluminada por el brillo sedoso de la droga. "Tengo esa misión, entre otras", dijo. "Esa misión. ¿Ve? Sobre el mueble. ¿Por qué debo ser yo? No necesariamente me están dirigidas. Llegan hasta mí. ¿Las sueño? Nunca he podido distinguir el sueño de la vigilia. Están ahí, sin embargo." ¿Las veía yo? Que las tomara, dijo. "Esas son las que he recibido hoy. Déjelas ahora." Que las dejara. Ya podría leerlas. "Todos podrán leerlas", dijo, en el momento indicado. Todos los lectores de la historia podrán leerlas en el momento indicado", dijo el Senador. "Arocena", dijo después. "Lo veo: encerrado como yo; encerrado entre las palabras, entre las paredes de su oficina, alumbrado perpetuamente por los tubos fluorescentes: leyendo." ¿Y en cuanto a él? "¿Y en cuanto a mí?" Dijo que el mundo se había convertido para él en un ámbito excesivamente estrecho. "No salgo de aquí. Reduje mis dominios a esta estancia. De vez en cuando miro por esa ventana. ¿Qué veo? Arboles. Veo árboles. ¿Los árboles son la realidad? Marcelo era para mí la compañía que siempre había buscado. Para mí él era el aire que me hacía vivir mientras estuvo. Se pasaba las noches conmigo, revisando papeles y hablando del pasado y del porvenir. Nunca del presente: del pasado y del porvenir. Fue un matrimonio ridículo, por supuesto", dijo el Senador. "Probablemente no llegó a durar un mes, como matrimonio quiero decir. Ya ve.", dijo, "le estoy contando los secretos de la familia. ¿Y entonces qué pasó? El, bruscamente, se fue. Bruscamente, sin decirle nada a nadie, sin despedirse de mí. Andaba con otra mujer ¿Y? El me decía: don Luciano, su hija me pone melancólico. Esa mujer, me decía, refiriéndose a mi hija Esperancita, esa mujer es toda ella un error incomprensible. Y entonces, bruscamente, se fue", dijo el Senador. "Y yo pienso en él", dijo. "Pienso en él. Nunca por ejemplo", dijo, "pienso en mi hija", aunque, dijo, era el ser que más lástima le había dado en la vida. Había pensado por qué no pensaba en ella y dijo: "Tampoco ya, desde hace años, sueño con mi hija. Sueño con unas fogatas que prendían en la orilla, entre los bajos de la laguna. Hacían fogatas sobre las barrancas para que nos orientáramos en el agua, cuando yo era chico, porque si uno nada de noche se extravía", dijo el Senador. "Para mí el sueño", dijo, "para mí el sueño ha venido a ocupar el lugar de los recuerdos". Dijo que ahora sobrevivía sin recuerdos y sin esperar la muerte. "Sin recuerdos", dijo, "porque nada es ya recuerdo para mí. Nada es ya recuerdo para mí: todo es presente, todo está aquí. Y sólo cuando sueño puedo recordar o tener remordimientos". En cuanto a la espera, dijo, estaba convencido que era una falacia decir que uno espera la muerte. "Es mentira que uno espere la muerte", dijo. "Es mentira". Dijo que estaba convencido, que racionalmente eso era lo único que estábamos incapacitados para esperar. "Es una falacia", dijo el Senador. "Nadie la espera, nadie la puede esperar. Incluso en mi caso. Sobre todo en mi caso", dijo. "Porque la muerte fluye, prolifera, se desborda a mi alrededor y yo soy un náufrago, aislado en este islote rocoso. ¿A cuántos he visto morir yo?, dijo el Senador. "Inmóvil, seco, tratando de conservar mi lucidez y el uso de la palabra mientras la muerte navega a mi alrededor, ¿a cuántos he visto morir yo?" ¿Acaso se había convertido en el que debía dar testimonio de la proliferación incesante de la muerte, de su *desborde*?, y si era así "¿cómo puede alguien decir que estoy esperando la muerte?", dijo el Senador. "Cómo puede alguien decirlo si en verdad yo soy la muerte; soy su testigo, su memoria, soy su mejor encarnación". En su mirada un suave fulgor, el Senador alzó una mano: "Escuche", dijo y se quedó inmóvil, la cara hacia lo alto, como buscando en el aire. "Escuche", dijo el Senador. "¿Ve? Ni un sonido. Nada. Ni un sonido. Todo está quieto, suspendido: en suspenso. La presencia de todos esos muertos me agobia. ¿Ellos me escriben? ¿Los muertos? ¿Soy el que recibe el mensaje de los muertos?"

"Mi padre", dijo después el Senador. "Mi padre, por ejemplo, murió en un duelo". Dos meses antes de que él naciera su padre había muerto en un duelo. "De modo", dijo el Senador, "que soy lo que se llama un hijo póstumo. Pero fíjese usted que por una extraña coincidencia también mi padre fue lo que se podría llamar un hijo póstumo. *Otro* hijo póstumo. Es decir, los dos, mi padre y yo, cada cual a su manera, los dos, hemos sido un desdichado hijo póstumo. En el caso de él", dijo, de su padre, "no porque mi abuelo, Enrique Ossorio, hubiera muerto antes de nacer mi padre, sino porque se había desterrado y mi padre nunca pudo llegar a conocerlo. Y sin embargo fue por defender a ese hombre que no conocía, es decir, a su propio padre, que mi padre aceptó ese duelo, o mejor dicho, lo provocó. Provocó ese duelo para defender el honor de su padre, mi abuelo, al que nunca había visto, y que lo había, en un sentido, *abandonado*, que lo había concebido en un sótano, sobre un catre, podríamos decir que en las entrañas mismas de la tierra, luego de seducir a su propia prima, que le había dado refugio", dijo el Senador. No se debía creer que con eso estaba tratando de desacreditar a nadie. Dijo el Senador:

"No trato de desacreditar a nadie. En realidad todos los hijos deberían ser abandonados, dejados en el portal de una iglesia, en un zaguán, en una cesta de mimbre. Todos deberíamos ser", dijo el Senador, "hijos póstumos o hijos expósitos, porque *eso* es lo que *somos* en realidad. Eso es lo que somos. ¿Qué importa el sótano donde fuimos engendrados? Marcelo, por ejemplo", dijo de pronto el Senador. "Marcelo, por ejemplo, es mi hijo. Entonces mi padre murió en un duelo. Por defender la memoria de su padre, agraviada por un escriba. Los lazos de sangre son lazos de sangre. Sobre todo lazos. De sangre. La familia es una institución sanguinolenta; una amputación siempre abyecta del espíritu. Marcelo, por ejemplo", dijo el Senador, "Marcelo, por ejemplo, es mi hijo".

"Entonces mi padre murió en un duelo, por defender el honor de su padre", dijo el Senador. En el diario de los Varela, en *La Tribuna,* se había mancillado, dijo, la memoria de Enrique Ossorio diciendo que había sido desde siempre y hasta su muerte un espía al servicio de Rosas, un traidor, un loco y un salvaje. "Se vistió de negro y fue a batirse en una quinta cerca del río. Jamás había manejado una pistola, era mitrista, era pálido, lo habían engendrado en un sótano. Jamás en su vida le había visto la cara al hombre cuya cara sería la última que viera en su vida". El padre del Senador había dejado una nota que decía: "*Son las cinco de la mañana. No me he movido en todo el día de mi casa. Todas las noticias que tengo del muy mandria ahijado de los señores que le sirven de padrinos en este lance*", citó el Senador lo que había escrito su padre, "*me confirman en la certeza de que ese es para mí menos que nada, aunque estos caballeros hablen de él como si fuera gente,* dejó dicho mi padre", dijo el Senador. "*M'hijita,* le escribió a mi madre, *si la desgracia es la que me está aguaitando en el campo de honor, sé que usted sabrá criar con decencia y en el amor a Dios, a la Patria y al general Mitre a ese hijo mío que lleva en las entrañas,* o sea yo", dijo el Senador. "Una madrugada clara de 1879 murió mi padre". Una brisa helada llegaba del río, sólo se escuchaba el rumor suave del viento entre los árboles. "Mi padre se alzó las solapas del fraque, pero como temió que eso pudiera confundirse con un gesto de temor se quitó la chaqueta y su camisa blanca se destacó sobre el fondo oscuro de los algarrobos". El lance había sido concertado a diez pasos. "Mi padre no se santiguó porque no quiso que se viera que le temblaban las manos. Las dos pistolas se alzaron hacia el cielo y antes que se apagara el estampido de los disparos mi padre estaba muerto", dijo el Senador.

"En esas épocas, en este país", dijo, "los gentlemen argentinos eran, sin saberlo, hegelianos. Solamente arriesgando la vida se mantiene la libertad, el que afronta hasta el fin el riesgo de las muerte se afirma así como Señor, como pura autoconciencia. Se mataban, puede decirse, entre ellos porque ninguno quería ser un Esclavo. Se mataban, entonces, entre ellos, estos señores, para probarse que eran caballeros argentinos y hombres de honor, con lo cual los caballeros argentinos y los hombres de honor disminuían. Lo que visto desde mi óptica actual, y dejando de lado mi lealtad filial, me parece, desde ya, una ventaja. De haber seguido esa costumbre quizás hubieran ido desapareciendo, uno detrás de otro, todos los gentlemen que han ayudado a convertir a este país en lo que ahora es. Era una especie de genocidio señorial: cualquier altercado, cualquier palabra cruzada a desgano se convertía de inmediato en un duelo. Había que terminar con esa costumbre que obligaba a los señores a matarse entre ellos para probar que eran caballeros argentinos, que sus padres, sus abuelos y sus bisabuelos habían sido caballeros argentinos. Ahora bien, fíjese usted, mi padre murió en ese duelo, en 1879, y fue el primer caso de crimen de honor presentado en el país ante un jurado y en sesión pública. Ese juicio en el que fue juzgado el hombre que había matado a mi padre en un duelo es un *acontecimiento*. Un acontecimiento", dijo el Senador. Porque ¿qué era, dijo, un acontecimiento, cuál era, dijo, en ese caso, *el* acontecimiento? "No el duelo", dijo, "sino el acontecimiento de ese juicio". Un acontecimiento como aquel no era, en general, conservado por los historiadores y sin embargo, dijo, quien deseara conocer la significación de nuestro mundo moderno, el que deseara conocer qué se había abierto en el país justamente hacia 1880 debía saber descifrar allí el umbral mismo del cambio, de la transformación. Eso más o menos fue lo que dijo el Senador respecto al duelo que había llevado a su padre al sepulcro. "Por primera vez, en el juicio llevado adelante contra el duelista que mató a mi padre, contra ese mandria asalariado de los Varela, la justicia se separó y se independizó de una mitología literaria y moral del honor que había servido de norma y de verdad. Por primera vez la norma de la pasión y del honor dejan de coincidir", dijo el Senador, "y se instala una ética de las pasiones verdaderas. Porque en realidad estos caballeros, estos gentlemen, estos Señores habían descubierto que era frente a otros, con otros frente a quienes debían probar quién era el Esclavo. Habían descubierto", dijo el Senador, "que tenían otro modo de probar su hombría y su caballerosidad y que podían seguir viviendo de cara a la muerte sin tener necesidad de matarse entre ellos, sino más bien *uniéndose* entre ellos para matar a quienes no se resignaban a reconocerles su condición de Señores y de Amos. Como por ejemplo", dijo, "a los inmigrantes, a los gauchos y a los indios. De modo", concluyó el Senador, "que la muerte de mi padre en un duelo y el juicio posterior es un *acontecimiento* que, en cierto sentido, está ligado, o mejor, yo diría", dijo el Senador, "que acompaña y permite explicar las condiciones y los cambios que llevaron al poder al General Julio Argentino Roca".

2

"A veces", dijo después, "pienso que toda esa coherencia, todo ese rigor, sus consecuencias implacables, pienso, a veces", dijo el Senador, "que todo eso está en mi vida, pero no en cualquier lugar de mi vida, en mi pasado por ejemplo, sino *ici même*, como en un escenario frente a mí. Un escenario vacío donde se respira el aire helado de las altas montañas. El aire helado, gélido", dijo, "de las altas montañas que, como usted verá, circula por esta sala donde transcurre mi existencia". Y uno de sus entretenimientos, dijo, "es pasear con mi carrito, mi carricoche, mi berlina, de un lado a otro, de una pared a otra, en mi silla de ruedas, por este cuarto vacío. Porque ¿en qué se ha convertido mi cuerpo sino en esta máquina de metal, ruedas, rayos, llantas, tubos niquelados, que me transporta de un lado a otro por esta estancia vacía? A veces, aquí donde reina el silencio, no hay otra cosa que el suave ruido metálico que acompaña mis paseos, de un lado a otro, de un lado a otro. El vacío es total: he logrado ya despojarme de todo. Y sin embargo es preciso estar hecho a este aire, de lo contrario se corre el riesgo de *congelarse* en él. El hielo está cerca, la soledad es inmensa: sólo quien ha logrado, como yo, hacer de su cuerpo un objeto metálico puede arriesgarse a convivir a estas alturas. El frío, o mejor", dijo el Senador, "la *frialdad* es, para mí, la condición del pensamiento. Una prolongada experiencia, la voluntad de deslizarme sobre los rayos niquelados de mi cuerpo, me ha permitido vislumbrar el orden que legisla la gran máquina poliédrica de la historia. Acercarme para contemplarla en la lejanía, de un modo muy distinto a como tal vez fuera deseable, pero acercarme al fin, en limitados momentos, *acercarme*, con mi cuerpo metálico, a esa fábrica de sentido, arrastrarme hacia ella, como quien nada en el Mar de los Sargazos. ¿Y qué veo cuando alcanzo a vislumbrarla? Vislumbro", dijo, "a lo lejos, en la otra orilla: la *construcción*. Remota, solitaria, las altas murallas como perdidas entre la nieve, veo: *la gran construcción*", dijo el Senador.

Para acercarse había sido preciso a la vez desprenderse de todo y conservarlo todo. "Desprenderse de todo y reducirme", dijo, "a este agujero, a esta cueva", pero al mismo tiempo ser lo suficientemente sagaz como para preservar las posesiones que, desde el *exterior*, le garantizaban la mayor libertad y lo resguardaban de los posibles ataques. Había sido entonces necesario, dijo, realizar una operación sumamente delicada, "una peligrosa operación lógica" que consistía en conservar sus propiedades y desecharlas. Ese ejercicio lógico era, dijo, "una representación y un resultado" de su estado general. ¿O él no había perdido todas las funciones de su cuerpo hasta convertirse "en una especie de vegetal metálico" para lograr así acrecentar su propiedad de razonar "hasta el punto mismo de congelación?". Dijo que su inteligencia le debía todo a su enfermedad, a su parálisis. En medio de su ascetismo, atado a su carne sedentaria, él, sin embargo, sabía que sus posesiones exteriores daban la medida de su libertad y de su aislamiento. "¿Sería éste el modo de alcanzar ese Ideal que no podemos concebir? La desintegración, sin embargo", dijo el Senador, "es una de las formas persistentes de la verdad".

"Mi fortuna", había estado pensando, dijo después el Senador, "*eso* que podemos llamar mi *fortuna*, tiene para mí, he estado pensando, la misma cualidad abstracta de la muerte. También ella navega y fluye alrededor de esta roca inhóspita y busca erosionarla. Encuentro ahí", dijo el Senador, "encuentro ahí la materia con la que está construida la memoria. *Otra* memoria: no esa memoria mía que está hecha de palabras y mensajes cifrados, *otra* memoria que viene siempre en mí acompañando la desolación del insomnio. Yo trato de liberarme", dijo. "Trato, inútilmente, de *soltarme* de ese lastre que durante años me ha tenido atado a las mareas del pasado, a sus corrientes subterráneas. Para no ahogarme en las aguas del pasado estoy obligado a reflexionar; no ver eso que flota y se hunde, no dejar que se me acerque. Debo hacer un esfuerzo para separarme, alejarme de aquello a lo cual es imprescindible decir que no, una y otra vez. El rechazar, el no dejar-que-eso-se-acerque es un gasto, en esto no me engaño, una fuerza *derrochada* en finalidades negativas. Conozco lo que arriesgo, pero no hay otra salida. No se trata del azar sino de un tejido férreo. No me engaño. Sé que simplemente por la necesidad constante de defenderse puede uno llegar a volverse tan débil que no pueda ya defenderse. El pensamiento es entonces para mí, en esos casos, como el mástil que sobresale de las aguas y al que el náufrago se aferra, no sólo para sobrevivir, sino también para pedir ayuda, agitando sus brazos en la inmensidad del mar, con la esperanza de que alguien pueda venir a socorrerlo". En casos así, en medio de la mayor desolación, había podido llegar a comprender, dijo el Senador. "He podido comprender, por ejemplo, que la muerte y el dinero están hechos, para mí, de la misma sustancia corruptora." No sólo, ha podido pensar el Senador, porque el dinero y la muerte corrompen a los hombres, "esa analogía sería demasiado trivial y además no comparto esta ética espuria que hace del desinterés la marca de la espiritualidad y convierte a la pobreza en la carne de las almas puras. No es cierto, entonces, que el dinero corrompa; son la corrupción y la muerte las que han producido al dinero y lo han erigido en el Rey de los hombres. Su carácter arbitrario, ficticio, el hecho de ser el signo abstracto que asegura la posesión de *cualquier* objeto que uno pueda desear, esa lógica universal de los equivalentes que en el dinero se encarna, es lo que ha obligado a la razón a adaptarse a un esfuerzo de abstracción que está en el origen mismo de la capacidad de razonar, en el origen mismo del logos", dijo el Senador que había pensado. "Como usted sabe", dijo, "para los griegos el término *ousía* que designa, en el vocabulario filosófico, el *ser*, la *esencia,* la *cosa-en-sí,* significa igualmente la riqueza, el dinero. Mi ascetismo, entonces", dijo el Senador, "mi ascetismo, si existe, no es moral, tiene otra calidad, yo me despojo de todo, del mismo modo que he sido despojado de todo mi cuerpo. Unicamente son mías las cosas cuya historia conozco. Algo es *realmente* mío", dijo el Senador, "cuando conozco su historia, su origen. Existe", dijo. "Existe algo, sin embargo, una extensión de mi cuerpo, algo que está fuera de aquí, del otro lado de estos muros de hielo, algo que se reproduce y prolifera como la muerte, cuya historia conozco, pero en lo que ya no pienso, en lo que no quiero pensar y de lo que se ocupan otros, que cumplen para mí la función de los enterradores, de los sepultureros. Hablo, entonces, para no pensar en eso, de otra cosa", dijo el Senador, "otra cosa cuya historia *debo* contar, porque sólo es mío aquello cuya historia no he olvidado. Y pienso que al contarlo se disuelve y se borra de mi recuerdo: porque todo lo que contamos se pierde, se aleja. Contar es entonces para mí un modo de borrar de los afluentes de mi memoria aquello que quiero mantener alejado para siempre de mi cuerpo".

Contó entonces el Senador la historia de esa tradición, de esa cadena que en su memoria enlazaba de un modo férreo los eslabones dorados de la muerte y la riqueza. "La muerte, la riqueza y eso que los griegos llamaban con su lengua musical la *ousía,* se trata de eso", dijo, "de los anillos de una historia, primeros eslabones en el ascenso a esa altura que me libera de los ríos cenagosos del recuerdo. Existe", dijo, "una primera definición de la que es preciso partir". Habría que comenzar por ahí, dijo, para que la historia que necesitaba contar pudiera ser comprendida, aunque ese comienzo era en realidad un resultado. "Ese comienzo, ese resultado es éste: Para nosotros, los lazos de sangre, o mejor, la filiación ha sido siempre, antes que nada, económica, y la muerte un modo de hacer *fluir* la propiedad, un modo de hacerla reproducir y circular." Sabía, dijo, que la cadena de esa sucesión era lo que él, el Senador, había venido a interrumpir. En un sentido, dijo, "soy el eslabón que *no* se ha perdido, que nunca se perderá". Por eso, dijo, su situación era la de un silogismo falso, la de una paradoja. "Yo", dijo el Senador, "soy una paradoja. Y algunos", dijo, "se esfuerzan por retomar esa coherencia lógica, esa propiedad perdida que viene del pasado. Por ejemplo", dijo el Senador, "¿cómo no saber que mis hijos están deseando, para heredarme, la muerte?" Dijo que él conocía esa ecuación. El conocía, dijo, esa ecuación, esa alquimia, no porque hubiera deseado la muerte de su padre, dado que él, su padre, había muerto antes que él, el Senador, naciera, "sino porque cuando mi padre murió", contó el Senador, "en ese duelo destinado a salvaguardar el honor de mi abuelo, cuando él, mi padre, murió, yo me convertí, *antes* incluso de haber nacido, me convertí en el único destinatario de la fortuna familiar. Yo entonces", dijo el Senador, "*sé* lo que es ser un heredero, conozco lo que es ser un heredero. Las genealogías y las filiaciones se declinan sobre el cuerpo de la tierra", dijo el Senador, "y para un hijo la herencia es el futuro, es una lengua muerta cuyos verbos es necesario aprender a conjugar, o mejor", dijo el Senador, "una lengua *paterna* cuyos verbos es preciso aprender a conjugar. Sobre esas conjugaciones territoriales", dijo, "leguas y leguas de campo abierto que permanecen y *duran* más allá de los antepasados, sobre esa extensión mortal está erigida la memoria familiar. Esa *otra* memoria me invade y me corroe en las noches blancas del insomnio. Porque yo", dijo el Senador, "debo una muerte. Yo debo una muerte: la mía. Soy un deudor, soy el deudor, soy el que está en deuda con la muerte. Conmigo, que envejezco sin fin, que envejezco *aún*, que soy viejo, que siempre he sido viejo, conmigo, esas propiedades están inmóviles como estoy inmóvil yo mismo. Yo soy entonces alguien cuyo cuerpo tullido está hecho de esa tierra que persiste en el mayor sosiego. Yo, el desterrado, soy esa tierra", dijo el Senador. "Porque mientras yo permanezca, yo soy el dueño. Esos dominios son los míos. Mis hijos pueden administrarlos, *andar* sobre ellos, pueden usarlos, pero no son los dueños, *serán* los dueños pero para eso hace falta que yo me muera y yo, como esos campos, envejezco sin fin. Leguas y leguas de campo tendido, leguas y leguas, sobre el fondo inmóvil de las aguadas, y a la vez, este objeto metálico que soy, hecho de carne y de acero niquelado que sólo puede ir y venir por esta estancia vacía", dijo el Senador. "Esa es, entonces, la paradoja", dijo. "La alteración de una Ley, la violencia ejercida sobre una tradición: esa es la paradoja que yo soy y eso es lo que me permite pensar". Dijo que esa violencia, esa "*torsión*" era lo que le permitía pensar. "Mi lógica es toda ella resultado de un corte en esa cadena que declina filiaciones y hace de la muerte el resguardo más seguro de la sucesión familiar. Porque yo sé", dijo el Senador, "que siempre ha sido así, hasta mí. Siempre. Hasta mí. Por ejemplo mi padre, también él fue un heredero y su fortuna, que después de su muerte fue, acrecentada, la mía, fue, como es lógico, el resultado de otra muerte, en ese caso digamos de un suicidio. ¿Entonces? Un círculo. Una muerte atrás de otra. Ahora bien, ¿dónde se inicia esta cadena que encadena los años para venir a cerrarse conmigo? ¿Cómo se inicia? ¿Dónde se inicia? ¿No debería ser esa la sustancia de mi relato? ¿El origen? Porque si no ¿para qué contar? ¿De qué sirve, joven, contar, si no es para borrar de la memoria todo lo que no sea el origen y el fin? Nada entre el origen y el fin, nada, una planicie, árida, la salina, entre él y yo, nada, la vastedad más inhóspita, entre el suicida y el sobreviviente. Por eso es que yo puedo, a él, *verlo* a pesar de la enorme distancia: porque nada se interpone, estamos uno a cada lado del río, la corriente fluye, mansa, entre nosotros, entre él y yo, mansa, fluye la corriente de la historia".

"*Entonces*", dijo el Senador, "*entonces* hay un origen no determinado. Un origen donde todo esto comienza. Y ese origen es un *secreto*, o mejor, *el* secreto que todos han tratado de ocultar. O por lo menos el secreto que han desplazado lejos del lugar debido, para concentrar todo el enigma en un nombre, en la vida de un hombre que ha debido ser mantenida, en lo posible, oculta, como un crimen. Ese hombre, Enrique Ossorio, él, es un Héroe. El héroe. El único que se lo debe todo a sí mismo, el único que no ha heredado nada de nadie, el único del que *todos* somos deudores. Porque él no le debe nada a nadie: se lo debe todo a sí mismo, a esa fiebre que lo llevó hasta los desiertos calcinados que empiezan más allá de Sacramento y desde allí hasta el cauce seco de un río donde, en las arenas, entre las rocas, estaba *el Oro*. Todo se inicia allí. Se inicia con el oro que el padre de mi padre había, por decirlo así, imaginado que podía encontrar en el estado de California, año 1849. Se inicia con ese oro que el hombre, alucinado, despiadado, febril, soñó encontrar y que realmente encontró. Allí está el origen de la historia que yo reconstruyo, para olvidar, en las noches calcinadas del insomnio", dijo el Senador. "El oro, el oro que dejó casi íntegro al morir porque no tuvo ninguna urgencia en gastarlo, dado que no lo había heredado; ese oro, frente al que no tenía ninguna preocupación, salvo saber que lo tenía, que lo llevaba pegado a su cuerpo, rodeando su cintura, como una rastra, una cincha dorada, de metal, pegada a la piel de la cintura. Y todo eso yo lo pude ver", dijo el Senador, "a lo lejos, del otro lado de la planicie, nada se interpone, salvo la proliferación incesante de la muerte, entre él y yo, nada se interpone, estamos solos, uno a cada lado de la historia, por eso yo lo puedo ver, porque nada se interpone ya entre nosotros, por eso yo lo puedo imaginar mientras me deslizo en el vértice traslúcido que divide apenas, para mí, la vigilia del sueño. La rastra, el peso del oro que le entorpece el andar y lo hace moverse con una dignidad equívoca, un poco rígido, envarado, sintiendo contra su cuerpo la *dureza* realizada de sus sueños. Son esas imágenes las que puedo ver: los hoteles de chapa en la frontera mejicana, donde hombres cetrinos y orgullosos hablan con él en un español contaminado, una especie de dialecto cerril, mientras el héroe piensa en *otra* cosa, piensa en el brillo sedoso del metal que lleva sobre la piel, en su poder infinito de transformarse en cualquier cosa que pueda desear o haber querido. En esa alquimia, en la química alucinada de su ilusión, puedo pensar. Todo lo que él hizo puedo imaginar. Sobre todo el encierro final: ese cuarto, casi vacío, en el East River, donde se enclaustró, semanas y semanas, a escribir, por fin", dijo el Senador, "una palabra tras otra, cartas, fragmentos, para decir, por fin, lo que de pronto había entendido. Y a veces, sobre todo de noche, lo oigo caminar por ese cuarto, de un lado a otro, de un lado a otro, escucho su voz, habla solo, aislado, perdido en la ciudad de Nueva York, en un país cuya lengua apenas comprende, trata de fijar el vértigo que ha sido, de un modo para él sorprendente e imprevisto, su propia vida: fijar en las palabras el vértigo que ha sido su vida. Y lo escucho pasearse, pasearse, por ese cuarto inhóspito en el East River, mientras escribe", dijo el Senador. "El exilio nos ayuda a captar el aspecto de la historia en sus restos, en sus desperdicios, porque es el verdadero aspecto del pasado el que nos ha condenado a este destierro, eso escribe", dijo el Senador. "Lo mejor de las situaciones extremas es que siempre nos conducen a posiciones extremas, escribe", dijo el Senador. "Lo principal en situaciones tan extremas como esta es aprender a pensar crudamente. Pensamientos crudos, sin labrar, ése es el pensamiento de los grandes. Eso escribía", dijo el Senador. "Admito que no tengo ninguna esperanza. Hombres ciegos hablan de una salida, no hay una *sola* salida. Debemos aprender del agua cuyo movimiento desgasta con el tiempo la dureza de las piedras. Los duros siempre son vencidos por el dulce fluir del agua de la historia. Eso escribe, encerrado en su cuarto del East River y yo lo oigo, puedo verlo: está ahí, encerrado, en ese cuarto vacío y nada se interpone, estamos solos, él y yo, nada se interpone, puedo oírlo, yo soy Ossorio, soy un extranjero, un desterrado, yo soy Rosas, era Rosas, soy el clown de Rosas, soy todos los nombres de la historia, soy el pájaro del mar que sobrevuela la tierra firme: abajo, lejos del aire límpido que desplazo con mis alas al volar, abajo, en las planicies heladas, a la izquierda, casi sobre las últimas estribaciones montañosas, lejos del mundo, de su tumulto, lejos de su lúgubre claridad, hay grandes masas, grandes masas que parecen petrificadas pero que *sin embargo* se deslizan, se mueven, a pesar del reflujo, avanzan, crujen al deslizarse, como los grandes témpanos de hielo. Evaluar la lentitud, el ritmo de esa marcha depende de la altura que haya alcanzado en su vuelo el pájaro marino, cuanto más alto vuela el pájaro marino, el albatros, y cuanto más se arriesga y se adentra en la tierra firme, con mayor nitidez puede vislumbrar la incesante movilidad, el avance de esas masas. Sus ritmos no pueden ser evaluados por ningún hombre aislado, por ningún particular. ¿De qué sirve exigirles mayor velocidad si su tiempo no es el nuestro? ¿De qué sirve la urgencia frente a la solidez inflexible de ese avance? ¿No busca, acaso, también el héroe, *acercarse*, a pesar de todo? Tullido, se desliza, se arrastra y el sonido niquelado de su cuerpo al acercarse es la única música que se escucha en los desiertos calcinados del presente. Del otro lado, en el otro frente, se muestra ya la heterogeneidad de aquello que nuestros enemigos siempre pensaron idéntico a sí mismo. Lo que podía pensarse unido, sólido, comienza a fragmentarse, a disolverse, erosionado por el agua de la historia. Esa derrota es tan inevitable para ellos, como para nosotros es inevitable soportar el lastre que nos ha dejado en la memoria su maniática presencia, su cinismo, su calculada perversión. ¿O acaso ha dejado alguna vez de fluir, desde el pasado, la proliferación incesante de la muerte?", dijo el Senador. "Ellos, nuestros enemigos ¿con qué convicción resistirán? ¿Qué convicción podrá ayudarlos a resistir? No podrán resistir. Ellos vacilan, atados a la aridez del porvenir. En cuanto a nosotros, hemos aprendido a sobrevivir, conocemos la sustancia cristalina, incesante, casi líquida de la que está hecha nuestra capacidad de resistir. La paciencia es un arte que tarda siglos en ser aprendido. Y nosotros sólo le damos valor a la profesión de una virtud cuando hemos notado la completa ausencia de ella en nuestros enemigos". Eso fue lo que dijo el Senador.

3

"Usted, joven", dijo después, "usted entonces irá a verlo a Marcelo. Debe decirle esto: Que se cuide. Que apenas recibo ya sus cartas. Hay interferencias, graves riesgos.

Que se cuide y se resguarde. Arocena, ese mandria, interrumpe la comunicación, interfiere los mensajes. Trata de descifrarlos. ¿O son mis hijos los que custodian la entrada y no dejan pasar las palabras a este lado? ¿Filtran, ellos, mis hijos, los mensajes que recibo sin que me estén destinados? Que se cuide: debe usted, entonces, joven, decirle a Marcelo cuando viaje hacia él. Debe decirlo esto: que *pienso* en él. Sólo eso, debe, usted, joven, decirle a Marcelo cuando vaya hacia él. Que yo, Ossorio, el Senador, pienso en él. Y Marcelo podrá adivinar, a pesar de los muertos que boyan en las aguas de la historia, él, Marcelo, podrá adivinar", dijo el Senador, "de qué material está hecho *ese* pensamiento". Ese pensamiento estaba hecho, dijo, de restos, de fragmentos, de bloques astillados y también del recuerdo de viejas conversaciones. "Fragmentos de esas cartas cifradas que recibo o sueño o que imagino recibir o que yo mismo dicto porque no puedo escribir. Porque debo decirle que ya no puedo escribir. Mis manos ¿ve? son garras; yo soy el albatros, mi vuelo es plácido sobre las riberas del *cimetière marin*, pero en la altura mis dedos se han transformado en las garras de ese pájaro que sólo puede posarse sobre el agua, sobre la roca que sobresale en medio del océano. Ya no puedo escribir, con estas manos ya no puedo escribir, he perdido", dijo, "la elegancia sacerdotal de mi letra manuscrita. Sólo mi voz persiste, cada vez más parecida al graznido del pájaro; sólo mi voz persiste y con ella dicto mi respuesta a los mensajes que recibo. Pero ¿a quién? Solo, aislado, haciendo equilibrio con las alas sobre esta roca, ¿a quién podría yo dictarle mis palabras?". Entonces el Senador me preguntó si no podría él, ahora, dictarme a mí una respuesta que quería escribir. ¿Querría yo ser su secretario? "¿No querría, usted, joven, ser mi secretario, transformar mi graznido en palabras escritas?" Había algo, dijo, que yo debía saber. "Mi secretario deberá *enclaustrarse* conmigo. No salir jamás. Vivir en medio de estas alturas nevadas". ¿Cómo podría entonces él, dijo el Senador, pedirme que yo fuera su secretario? Dijo que de todos modos iba a dictarme por lo menos una carta. "Yo, el Senador, voy a dictarle una carta", dijo el Senador, y empezó a pasearse, en su silla de ruedas, por el cuarto. "Señor Don Juan Cruz Baigorria", dictó el Senador. "Querido compatriota y amigo. Conozco su situación y tiene usted, esté seguro, mi solidaridad. He recibido una carta suya no dirigida a mí y por eso conozco de su desdicha", dictó el Senador mientras se paseaba en su silla de ruedas por el cuarto. "La pérdida de un hijo es el mayor dolor que un hombre puede recibir. Pero, ¿es que su hijo ha muerto o se ha extraviado? No creo; la patria, con mayúscula Patria", dictó el Senador desde un extremo del cuarto, "la Patria no olvida a sus mejores hijos. Cuídese de Arocena. El no deja que sus palabras lleguen a destino. Trataré que alguno de mis secretarios o mi mayordomo Juan Nepomuceno Quiroga, se acerque hasta usted con una pequeña ayuda monetaria que no paliará en nada su desdicha, eso lo sé", dictó el Senador. "Ese presente no debe ser visto como un menoscabo a su alta dignidad o a su decencia, sino como un modo de ayudarlo a resistir. Yo, el Senador, sé lo que sufren los paisanos de esta tierra. Resista usted, Señor Don Juan Cruz Baigorria, compatriota, y reciba en su desgracia la solidaridad de mí, el Senador Luciano Ossorio. Lo abraza.", dictó el Senador y dijo: "Tráigame ese papel y esa pluma que pondré yo mismo una firma manuscrita".

4

El Senador dijo después que eso era todo lo que él podía hacer. "Eso", dijo el Senador, "es todo lo que yo puedo hacer. Aislado, solo, insomne, es todo lo que puedo hacer. Dictar, desde aquí, palabras de alivio, pasearme, de un lado a otro, pensar las cartas, las respuestas, todo ese dolor". Se paseaba, de un lado a otro, en su silla de ruedas, por el cuarto vacío. "Me paseo de un lado a otro y pienso las palabras que podría dictar, me paseo, deslizo mi carne sedentaria, imagino lo que tengo que escribir, recorriendo, de un lado a otro, deslizando, de un lado a otro, mi cuerpo tullido, por esta estancia vacía. Y así voy a seguir, moviéndome de un lado a otro, a veces en círculos, a veces en línea recta, de una pared a otra, trabajando, sin embargo, con las palabras para disipar la bruma que no deja entrever con claridad esa construcción que se levanta a lo lejos, en la otra orilla, sobre las rocas del porvenir. Y quizás las palabras me permitan apresar, como en una red, la cualidad múltiple de esa Idea, de esa concepción que viene desde el fondo mismo de la historia, de esa voz", dijo, "múltiple que viene del pasado y que es tan difícil de captar para un hombre que está solo. Y sin embargo", dijo el Senador, "ninguna decepción será suficiente para impedir que desgaste, en el esfuerzo de acercarme, las ruedas de mi cuerpo. Ninguna decepción podrá impedirlo. Ninguna amenaza. Ni siquiera la tolerancia o la piedad. Porque yo", dijo el Senador, "conozco mi suerte. Sentado, carcomido, artificial, mi carne metálica se herrumbra a la sombra de estos muros roídos por la blancura de las lámparas eléctricas, y sin embargo, jamás he de perder la esperanza de poder pensar más allá de mí mismo y de mi origen".

"A veces", dijo después, "me parece comprenderlo todo. Comprender los años y los años que tarda, por ejemplo, un cuerpo en comenzar a disgregarse. A veces me parece comprender, incluso, mi propio destino. Es un instante. La comprensión dura apenas un instante y en ese instante sin duda sucede que he soñado cuando creía pensar o comprender. Pero es tan poco lo que necesitamos para sostener las ilusiones de las que estamos hechos, que salgo de ahí, de esos momentos, de esos sueños, renovado, con una renovada convicción. Por eso, ahora, tengo que tratar de explicar la ilusión que busco, alguna vez, poder alcanzar con mis palabras. Explicar ese destello lejano que de pronto me parece ver en el recuerdo que tengo de unos ranchos que se cobijaban, en mi infancia, bajo los sauces, cerca de la

Laguna Negra: ahí era donde brillaban esas fogatas que suelo imaginar, como si las recordara, en mis noches de insomnio. Explicar", dijo, "por ejemplo, el sentido que tuvieron para mí esos papeles que un hombre escribía en una pieza del East River. O explicar eso que viene desde el fondo mismo de la historia de la patria, a la vez único y múltiple. Pero ¿cómo podría hacer yo para explicarlo? ¿Cómo haría, cómo podría hacer? Por eso ahora debo callar. Yo, el Senador, debo, por el momento, callar. Ya que soy incapaz de explicarme sin palabras prefiero enmudecer. Prefiero enmudecer, ahora", dijo el Senador, "ya que soy incapaz de explicarme sin palabras".

III

III

1

Nueva York. 4-7-1850

Compatriotas: Yo soy aquel Enrique Ossorio que luchó incansablemente por la Libertad y que ahora reside en la ciudad de New York, en una casa del East River. Ahora ya soy todos los nombres de la historia. Todos están en mí, en este cajón donde guardo mis escritos. Vine acá decidido a terminar esta mi obra. Salgo a caminar por la ciudad en el amanecer y a veces paso las tardes en el prostíbulo de Miss Rebba, en Harlem, donde hay una joven prostituta, nacida en La Martinica, que sabe hablar español. Converso con ella sobre nuestro desventurado porvenir y ella asiente con su dulce rostro de gata. Desnudos en el lecho, mientras la noche refresca el aire de la pieza, podemos oírnos con toda consideración. La Gata ha sido vendida como esclava y ejerce este oficio de meretriz por diez años (tiene 17) a cambio de su libertad. ¿No es eso lo que yo mismo he hecho en estos últimos años de mi vida? Envilecerme como ningún otro se ha envilecido en la historia de la patria para obtener la libertad. Pero ¿la he obtenido? Yo, el traidor, ¿la he obtenido? Ustedes ven tan próxima la liberación de la República, ven tan al alcance de la mano la caída de Rosas que se ilusionan con una libertad que, sin embargo, no ha de llegar. Unidos ahora ustedes con don Justo José buscan en él la fuerza que desde adentro mismo del país pueda realizar lo que siempre hemos soñado. Pero ¿será así? Preveo: disensiones, divergencias, nuevas luchas. Interminablemente. Asesinatos, masacres, guerras fratricidas. Estoy solo en la ciudad de Nueva York y me pregunto: ¿Qué ha cambiado? Justo José ¿no fue el aliado más íntimo del Tigre? Entonces mi vida toda no ha sido más que un persistente error: no los objetivos de mi vida que fueron siempre el progreso y la felicidad de mi patria, sino algo distinto y más atroz. Ya no podemos retroceder. La caballería entrerriana, gauchos que fueron de Pancho Ramírez ¿ellos nos han de libertar? Creo que toda nuestra vida no ha sido más que un solo error insensato. Ya no podemos retroceder. Lo que hemos hecho está hecho.

He pensado escribir una utopía: narraré allí lo que imagino será el porvenir de la nación. Estoy en una posición inmejorable: desligado de todo, fuera del tiempo, un extranjero, tejido por la trama del destierro. ¿Cómo será la patria dentro de 100 años? ¿Quién nos recordará? A nosotros ¿quién nos recordará? Sobre esos sueños escribo.

Así, yo escribiré sobre el futuro porque no quiero recordar el pasado. Uno piensa en lo que vendrá cuando se dice: ¿Cómo puede ser que no haya podido ver *entonces* lo que ahora parece tan evidente? ¿Y cómo puedo hacer para ver en el presente los signos que anuncian la dirección del porvenir? Sobre esto y también sobre mi vida he comenzado a reflexionar y por eso les escribo.

Pronto les enviaré mi *Autobiografía*. Todo hombre debe escribir su vida al acercarse a los cuarenta años.

¿De dónde nace este horror a la soledad? Conozco el gusto invencible de la prostitución. Mi amiga, la joven ramera, se llama Lisette Gazel. Sabe leer el porvenir en el vuelo de los pájaros marinos: es supersticiosa como una gata. Su piel es de seda negra. Pago por ella para oírla hablar en su español de la Martinica. Palabras perversas, turbio *créole*.

Mi querido don Luciano: siempre me acuerdo de usted y si no le he escrito antes es porque en estos últimos meses he tenido algunos contratiempos (linda palabra esa, tan metafórica). Me parece que otra vez voy a tener que empezar a moverme. La verdad, estaba tranquilo acá en Concordia, pueblo elegido (entre otras cosas) por su nombre tan pacífico. Estaba bien acá, asentado, como quien dice, pero ya sé que no soy hombre que pueda vivir mucho tiempo en un sitio, la época por otro lado no nos ayuda a volvernos sedentarios. Feliz de usted, Senador, se lo digo de veras, que sufre solo y se las aguanta, y encerrado donde está sólo puede ver lo que quiere recordar. Cuando más pegado está uno a los acontecimientos más complejos y lejanos le parecen. Y sin embargo, en este país, todo es tan claro como el agua cristalina.

He seguido trabajando en el *Enrique Ossorio:* bastante fascinado por la etapa de Nueva York; solo y aislado, también él, tratando de ver dónde y en qué se había equivocado. Hay una carta que le escribe a Alberdi en agosto del '50, que me ha impresionado. No sé si usted la recuerda. "Desconfiar: eso sé", le escribe. "Y saber sé que a los mejores de vosotros, a usted, antes que a ningún otro, Juan Bautista, a usted que es un hombre de principios, os espera otra vez la desesperanza, el destierro. Veo bien el trágico destino que nos espera, sobre todo a usted, Juan Bautista, sobre todo a usted porque lo conozco bien y sé que jamás llegará a transigir. Es de la clase de hombres que no transige y esa clase de hombre, en los tiempos que se avecinan, tendrán dos caminos: el exilio o la muerte. Los otros, y entre ellos algunos que hoy se dicen sus amigos, harán, claro, su carrera. Este país está a punto para eso. ¿Cómo no van a hacer carrera si tienen el campo abierto, toda la pampa para ellos? Van a ganar los que corran más ligero, no los mejores, ni los más honestos, ni los que mejor piensen o quieran a la patria. En cuanto a usted: ninguna gloria le será negada, Juan Bautista, pero tampoco ninguna desdicha". Eso le escribía, extraña lucidez. Nadie lo escuchaba, y estaba solo: quizás por eso había aprendido a pensar como es debido; así piensan los que ya no tienen nada que perder.

En fin, quería decirle, en estas nuevas circunstancias del país me encuentro un poco desorientado respecto a mi futuro inmediato. Distintas complicaciones se me avecinan y preveo varios cambios de domicilio. Estuve pensando que por el momento lo mejor va a ser pasarle el Archivo (con los documentos y las notas y con los capítulos que ya he redactado), a alguien de mi entera confianza. Esa persona podría, llegado el caso, llevar el trabajo adelante, terminar de escribirlo, darle los últimos toques, publicarlo, etc. Para mí se trata, antes que nada, de garantizar que estos documentos se conserven porque no sólo han de servir (a cualquiera que sepa leerlos bien) para echar luz sobre el pasado de nuestra desventurada república, sino para entender también algunas cosas que vienen pasando en estos tiempos y no lejos de aquí.

Para ponerlo al corriente de estas cosas he querido escribirle, Senador. Quise decirle todo tal cual, porque nos conocemos bien y sé que no se va a preocupar por mí más de lo que ya se ha preocupado hasta ahora. Los contratiempos van a pasar, a la larga siempre pasan.

Nada más; estas líneas quieren ser también un modo de hacerle saber que pienso en usted. Ya nos volveremos a ver, que las ganas no nos faltan. Cuídese, don Luciano, que yo lo quiero. Suyo.

Marcelo Maggi.

PS. Irá a verlo en estos días un sobrino mío. Seguro yo voy a encontrarme pronto con él y él me hará saber de usted. Un abrazo.

6.7.1850. Prosigo. Mi Autobiografía.

Antepasados 1.

Uno de mis abuelos prosperó en el humanitario comercio de comprar esclavos enfermos y curarlos lo suficiente para que pudieran ser vendidos (a mejor precio) como esclavos sanos. Ese negocio, que combinaba el lucro con la filantropía, le permitió enriquecerse gracias a la salud de los demás. He visto grabados de esclavos macilentos y esqueléticos y cubiertos de pústulas y después otros grabados donde los mismos esclavos se ven fuertes, macilentos y cubiertos de pústulas, al lado de mi abuelo que los señala, satisfecho, con el cabo del rebenque. Al llegar a los 70 años este abuelo mío abandonó la familia y se amancebó con una negra jamaiquina de 14 a la que llamaba *La Emperatriz*. En mi juventud, parece que decía mi abuelo, un hombre de 70 años no era un viejo: fue la Revolución Francesa la que trajo la vejez al mundo.

Antepasados 2.

Mi padre era un hombre desencantado. Fue soldado porque así lo exigieron los tiempos. Peleó contra los ingleses durante las Invasiones y después marchó con Belgrano en la expedición al Norte. Volvió enfermo y malherido, sin haber conocido nunca la victoria; las fiebres, que ya no cejaron, le impidieron participar en la Campaña Libertadora y en las guerras civiles y siempre se sintió en deuda con su provincia de Santa Fe. Litigó con el gobierno hasta que le reconocieron los servicios y le otorgaron una pensión, que no necesitaba. En casa, los sirvientes lo llamaban Mi General, pero nunca obtuvo el grado. De noche el dolor o los remordimientos no lo dejaban dormir y se paseaba por los corredores esperando la luz del día. Durante el insomnio se distraía anotando lo que él llamaba: *Máximas sobre el arte de la guerra*. Recuerdo algunas que reproduzco aquí:

1. Yo, la guerra, pienso. Hemos fijado el cartel: *Aquí se piensa,* sobre la devastación con que la guerra somete a la Nación.

2. No hay más bautismo que el bautismo de fuego.

3. La guerra no se deja humanizar, su violencia ahonda en el hombre un espacio anterior a toda vestimenta cultural.

Le he oído decir que los entrerrianos (de a caballo) son los mejores soldados del mundo y que el general Manuel Belgrano nunca sudaba y que lo peor en una batalla es el olor a mierda de la pólvora.

Antepasados 3.

Mi madre era de la estirpe altiva y vagabunda de los

bohemios de este mundo, pero nunca lo supo. De ella he heredado yo *le mal du siècle* y cierto modo afectado de arrastrar las vocales al hablar. Mi madre no amaba a mi padre y se lo decía. Era cruel sin dejar de ser inocente: creía en el poder misericordioso de la verdad antes que en las humillaciones de la mentira. Las maneras de ese soldado que era la viva estampa de la derrota no se correspondían ya con la noción que tenía esa mujer de lo que debía ser una pasión romántica. Durante meses fue cortejada y asediada por el conde Walewski, cónsul de Francia en Buenos Aires, hijo natural de Napoleón Bonaparte (con la polaca María Walewska). Todo sucedía a la vista de mi padre, que despreciaba demasiado a los bastardos y a los europeos como para rebajarse a los celos. El conde, hombre perverso y refinado, invitaba a mi madre al teatro y le enviaba esquelas escritas con una pérfida caligrafía en letra gótica que acentuaba y enrarecía las demandas de su erotismo. Las redactaba en francés, idioma que mi padre no leía. Una noche sorprendí a mi madre bajando de un fiacre cerca del pasaje de La Piedad; ella se envolvió en su mantilla negra y ese gesto quiso decir que yo no la había reconocido. Pienso que esa mujer había logrado, por fin, construirse con esforzada desesperación (pero también, quizás, con vergüenza) una vida secreta a la altura de sus ilusiones y de sus esperanzas. Leía a Alfred de Musset y a George Sand y soñaba con vivir en París y frecuentar el salón de Madame de Staël, sin saber que esa buena señora ya había muerto, muchos años antes, despreciada por el padre del bastardo a quien mi madre entregaba ahora su cuerpo.

Antepasados 4.

En cuanto a mí nací Enrique *de* Ossorio, pero he desechado esa partícula cuyas resonancias ofenden la razón de mi época: las virtudes del linaje no me parecen a la altura de los tiempos, ni de mis ambiciones, y prefiero debérmelo todo a mí mismo.

En cuanto a mí, Enrique Ossorio, he sido un traidor y

un espía y un amigo desleal y seré juzgado tal por la historia, como soy ahora juzgado así por mis contemporáneos.

Han dejado Uds. filtrar algunas noticias de las que les he enviado. En esta casa crecen las sospechas. ¿Cómo saber si no han deducido algo y esperan concluir quién es el traidor (voz de ellos)? Esto no es miedo, quiero que sepan. Pero debieron esperar Uds. mejor oportunidad para no comprometerme. Yo estoy solo aquí, duermo en la misma guarida del Tigre.

Releo mis papeles privados. Han pasado desde entonces más de diez años y sin embargo siento que he vuelto a colocarme otra vez en el lugar de la traición. ¿O no es así? Es así, pueden estar seguros. ¿Será esa mi posición natural? ¿Y por qué?, dirán ustedes. ¿Un traidor? ¿Otra vez? Ahora soy un traidor a mi propio pasado del mismo modo que antes fui un traidor a mi propio porvenir. Ustedes prefieren perseverar en la lealtad a los errores, hacer como si lo que ahora sucede hubiera estado previsto y premeditado en aquellos tiempos. Pero yo sé que no fue así: yo estuve donde había que estar para saberlo.

Un tal J. R. Rey (o Reyf) ha escrito a un residente en ésta una carta que revela lo que sólo un delator y un espía podría revelar. Me han hecho sacar copia de ella (la carta) y así pude conocerla. ¡Qué malvado será el tal Rey! ¿Pero qué Rey hay que no lo sea? Quisiera estar seguro de la prudencia de ustedes, haciendo favorable a nuestra causa estos mensajes de un modo que no produzcan males a nadie que me hagan arrepentir en el futuro.

Vale. Haré en mis cartas de la clave el uso que me indica, y tanto de esto como del conducto seguro que tenemos le prometo a Ud. completa reserva como Uds. me lo piden (sin necesidad).

2

Una de las cartas estaba cifrada. O todas. Arocena reordenó las que tenía desplegadas sobre el escritorio. Revisó los sobres y estableció rápidamente un primer sistema de clasificación. Caracas. Nueva York. Bogotá; una carta a Ohio, otra a Londres; Buenos Aires; Concordia; Buenos Aires. Numeró las cartas: eran ocho. Dejó a un costado la carta de Marcelo Maggi a Ossorio que recién había leído. Tomó una ficha, anotó algunos de los nombres que seguían: Juan Cruz Baigorria, Angélica Echevarne, Emilio Renzi, Enrique Ossorio. La luz de los fluorescentes no bastaba. Encendió la lámpara; trató de que iluminara el centro de la mesa. A igual distancia de los bordes, pensó, y movió apenas la pantalla. Tomó un sobre escrito a máquina; papel con membrete: *Ediciones del Orinoco, Avda. Simón Bolívar 687. Caracas (4563). Venezuela.* Alzó la hoja y la observó a contraluz. La dejó otra vez en el escritorio y empezó a leer.

Aquí pocas novedades, mucho calor; pensar que en esta ciudad Miguel Cané escribió *Juvenilia.* Razón de más para irse, como dice Alfredo. Pero ¿a dónde? México es la misma vaina. Vivo encerrado todo el día traduciendo (ahora un libro bastante notable de Thomas Bernhard). Sólo salgo para ir al cine; tengo una novia venezolana, no sé si te dije (le estoy enseñando a cebar mate). Los muertos y los amigos (vos entre ellos) se me aparecen en los sueños. Así son las cosas en esta época: para encontrarse con la gente que uno quiere hay que dormir.

El que pasó por acá fue Raúl. Quiere que los argentinos "del exterior" (como él dice) pongamos plata y nos compremos entre todos una isla en el Pacífico (de preferencia la isla Juan Fernández). Plantaríamos trigo, criaríamos vacas, pero sin olvidar la protección de las artesanías del interior. Nos independizaríamos de la corona española, pero sin afrancesarnos. Nacionalizaremos las rentas de la Aduana y rechazaremos la enfiteusis de Rivadavia para cortar las raíces del latifundio. Mariano Moreno permanecerá en el país, al frente de la Junta Grande, sin viajar a Europa, cosa que no se nos muera en alta mar, etc. Sería, según él, la primera utopía nacionalista.

Se extraña la tierra natal; las noticias que llegan son confusas y más bien sombrías. Nadie entiende qué seguís haciendo vos ahí. ¿Con quién te ves? ¿Se puede publicar? Parecés el último de los mohicanos. Tendrías que saber que no siempre las fidelidades a la tribu son geográficas. Los líricos y filosóficos chinos, por lo que he oído decir (escribía tu admirado Brecht) solían ir al exilio como los nuestros van a la Academia. Costumbre honrosa. Muchos huyeron varias veces y parece haber sido cuestión de honor el escribir de tal modo que al menos una vez se viera uno precisado a sacudirse el polvo del suelo patrio.

Todos los amigos se acuerdan de vos. Saludos a Magdalena y a los pibes. Espero tus noticias. Te extraño. *Roque.*

PS. A veces (no es joda) pienso que somos la generación del '37. Perdidos en la diáspora. ¿Quién de nosotros escribirá el *Facundo*?

14.7.1850

Ahora bien, he pensado hoy: ¿Qué es la utopía? ¿El lugar perfecto? No se trata de eso. Antes que nada, para mí, el exilio es la utopía. *No hay tal lugar*. El destierro, el éxodo, un espacio suspendido en el tiempo, entre dos tiempos. Tenemos los recuerdos que nos han quedado del país y después imaginamos cómo será (cómo va a ser) el país cuando volvamos a él. Ese tiempo muerto, entre el pasado y el futuro, es la utopía para mí. Entonces: el exilio es la utopía.

Junto con el vacío que trae el exilio, he tenido otra experiencia personal de la utopía que me permite pensar en el romance que quiero escribir. El oro de California: esa marcha afiebrada de los aventureros que avanzaban ávidamente hacia el oeste, ¿qué era si no una búsqueda de la utopía por excelencia: el oro? Metal utópico, tesoro que se encuentra, fortuna que se recoge en el cauce de los ríos: utopía alquímica. La arena tibia corre entre los dedos. *We shall be rich at once now, with California gold, Sir*, cantaban los hombres en los vagones aventureros de la Wells Fargo. Sé, entonces, de qué se trata. Todas las noches antes de dormir siento el peso de esa ilusión dorada pegada a la piel de mi cintura. Un secreto personal, oculto como un crimen. Ni siquiera Lisette conoce esto. ¿Qué tú llevas ahí? me ha preguntado. Una faja de bronce, le he contestado, que un médico me recomendó para combatir una desviación en mi columna vertebral. Y no miento: ¿cuántos años viví inclinado, doblando la columna vertebral como un esclavo? Nadie puede sorprenderse ahora si para combatir los efectos de esa incómoda postura a la que me obligó la historia debo usar una especie de corsé hecho de oro macizo. Sólo el oro cura el recuerdo de la servidumbre y de la traición.

Por otro lado en esas caravanas de la utopía que cruzaban los desiertos calcinados de Nuevo Méjico he visto horrores y crímenes que jamás hubiera podido figurarme en mis propias pesadillas. Un hombre le cortó la mano a uno de sus amigos con el filo de una pala para poder llegar primero al cauce de un río donde el oro, dicho sea de paso, no se encontraba. ¿Qué lecciones he sacado de esa otra experiencia vivida por mí en el mundo alucinante de la utopía? Que en su persecución todos los crímenes son posibles. Y que sólo podrán alcanzar el reino suave y feliz de la pura utopía aquellos que (como yo) han sabido arrastrarse por la mayor degradación. Sólo en la mente de los traidores y de los viles, de los hombres como yo, pueden surgir los bellos sueños que llamamos utopías.

Así la tercera experiencia que sirve de material a mi imaginación es la traición. El traidor ocupa la posición clásica del héroe utópico: hombre de ningún lugar, el traidor vive *entre* dos lealtades; vive en el doble sentido, en el disfraz. Debe fingir, permanecer en la tierra baldía de la perfidia, sostenido por los sueños imposibles de un futuro donde sus vilezas serán, por fin, recompensadas. Pero ¿de qué modo serán recompensadas en el futuro las vilezas del traidor?

Vale/ No recuerdo si le dije a Ud. en otra con el objeto de hacerle saber que el interés material no ha sido jamás el móvil de mis acciones. Me lastima en lo más hondo y me sorprende usted al ofrecerme dinero. ¿Dinero, a mí? Por la amistad que los dos profesamos a la misma causa disimulo aquí mi indignación y mi pesar. Soy hijo de la consideración que nunca me abandona de las dificultades en las que vivo. Satán encarna en perversos escenarios las pruebas y los lugares donde un hombre de honor debe verse sometido. Sea esto lo que fuera, no reitere usted, Señor, esas ofertas indignas, que me humillan a mí pero también a usted. Sepa, sí, que nada personal quiero ganar, ni nada gano yo, más bien peor.

Releo mis papeles del pasado para escribir mi romance del porvenir. Nada entre el pasado y el futuro: este presente (este vacío, esta tierra incógnita) es también la utopía.

15.7.1850

La utopía de un soñador moderno debe diferenciarse de las reglas clásicas del género en un punto esencial: negarse a reconstruir un espacio inexistente. Entonces: *diferencia clave:* no situar la utopía en un lugar imaginario, desconocido (el caso más común: una isla). Darse en cambio cita con el propio país, en una fecha (1979) que está, sí, en una lejanía fantástica. No hay tal lugar: en el tiempo. *Aún* no hay tal lugar. Esto equivale para mí al punto de vista utópico. Imaginar la Argentina tal cual va a ser dentro de 130 años: ejercicio cotidiano de nostalgia, *roman philosophique*.

Título: 1979
Epígrafe: *Cada época sueña la anterior.* Jules Michelet

Hablo del tema en mi relato con Lisette. Ella me dice: ¿Pondrás tú ahí una mujer que como yo sabe leer el futuro en el vuelo de los pájaros nocturnos? Pondré, le digo, quizás, en mi relato, a una adivina, una mujer que, como tú, sepa mirar lo que nadie puede ver.

Estimado Señor: Estoy casi segura que nos conocimos en la escuela *Maestro Pizurno* de la calle Segurola al 900. Yo cursé ahí de primero a sexto grado. Mi nombre es Echevarne Angélica Inés, que me dicen Anahí. Yo era la niña que en quinto y sexto se sentaba en punta de banco, señor Intendente, y al ver su foto en el diario, de inmediato pensé en darme a conocer. ¿Se acuerda? en punta de banco, casi al final del pasillo, sexto grado B. Una vez usted, Excelencia, me mandó una cartita sentimental que desgraciadamente no he conservado por motivos de salud. Quisiera entonces aprovechar la oportunidad de ese recuerdo suscitado al ver su foto en el diario *Crónica* para comunicarle lo siguiente. Excelencia, otras Autoridades y Dignatarios: varias videncias se han encarnado últimamente en la dirección indicada, de Norte a Sud y de Sud-Sud-Este a Oeste. Por ejemplo: los gemelos. Uno de ellos se llama Farnos y el otro es El Japonés (el Japonés de Tokio). A pesar de sus múltiples actividades usted los puede individualizar de inmediato dado que ambos usan botines de charol negro. Eso sí, es muy importante considerar la dirección indicada: Sud-Sud-Este hacia el Oeste (como quien dice hacia Munro). Sucede lo siguiente, señor Intendente: me han hecho una incisión y me colocaron un aparato transmisor disimulado entre las arborescencias del corazón: Mientras dormía me pusieron el aparatito ese, chiquitito así, para poder transmitir. Es una cápsula de vidrio, igual que un Dije, todo de cristal, y allí se reflejan las imágenes. Yo lo veo todo por ese aparatito que me han puesto; como una pantallita de TV. Una ve este descampado y no se imagina lo que yo he visto: cuánto sufrimiento. Al principio sólo podía verlo al finado. Acostado sobre una cama de fierro, tapado con diarios. Hay otros ahí, al fondo de un pasillo, piso de tierra apisonada. Cierro los ojos para no ver el daño que le han hecho. Y entonces canto para no verlo sufrir. No quiero verlo sufrir y entonces canto, porque yo soy la cantora oficial. Si yo digo las imágenes que pasan por el Dije nadie me cree. ¿Por qué a mí? ¿Por qué tengo que ser yo la que debo verlo todo? Por ejemplo está ese muchacho que me busca, que me está queriendo ver. Y está el Polaco. Polonia. Yo vi las fotografías: mataban a los judíos con alambre de enfardar. Los hornos crematorios están en Belén, Palestina. Al Norte, bien al Norte, en Belén, provincia de Catamarca. Los pájaros vuelan sobre las cenizas. ¿O no lo dijo Evita Perón? Ella también veía todo y le sacaron las vísceras y la llenaron de trapo, como a una muñeca. La metástasis, como una telaraña azul, sobre la piel. Acostado sobre una mesa de fierro ¿por qué soy yo quien debe verlo sufrir? He sido designada como testigo de todo ese dolor. No puedo más, Excelencia. Cierro los ojos para no ver el daño. Y entonces canto para no ver todo el sufrimiento. Yo soy la Cantatriz oficial y si canto no veo las miserias de este mundo. Voy a cantar un Himno. *Alta en el cielo, un águila guerrera, audaz se eleva, en vuelo triunfal.* Así canto yo, Anahí, la reina del Litoral; canto, tengo que cantar porque si no me voy a volver neurasténica. Por eso tengo que cantar, tengo que volver a cantar. Tengo que ser la Cantora oficial. ¿Podría ser nombrada la Cantora oficial? Quisiera, Señor, solicitarle, con todo respeto, el nombramiento. ¿Puedo pedirle ese favor? Cantatriz, cantora, cantante, como usted guste, señor Ministro. Recuerdo con mucho sentimentalismo esa esquelita que usted me envió por intermedio de la Chola, una compañera de banco, en la escuela *Maestro Pizurno,* sexto grado B. Lo saludo, señor Prefecto, atentamente, con mi más alta distinción y estima, en el recuerdo de aquellos días lejanos, compartidos en la calle Segurola al 900, sexto grado B (punta de banco), cuando usted, señor Intendente, me hizo llegar su cartita con delicadas palabras que yo, a pesar de los horrores a que este destino de vidente me ha obligado, no he podido sin embargo olvidar. La maestra del grado se llamaba señorita Olga y era un poco petisa pero tenía los ojos celestes. Siempre nos decía, todas las mañanas al entrar al aula: Buenos días niños. Y nosotros le contestábamos a coro (incluido usted, Excelencia, cuando era chico) ¡Buenos días, señorita! Claro que antes, mientras se izaba la bandera, habíamos cantado *Aurora* y por suerte, a pesar de los años transcurridos, yo no me lo he olvidado a ese Himno patrio, de modo que cuando ya no puedo más, vuelvo a cantar: *Azul un ala del color del cielo, azul un ala del color del mar*, así canto yo, Anahí. Con todo respeto, saluda al Señor Gobernador, atte. Echevarne Angélica Inés.

Siempre alguna de éstas llegaba hasta él. Dirigida al señor Intendente, Prefecto, Vicecónsul o Secretario del Ramo y Autoridades en General. A veces las fotocopiaba para llevárselas a su casa y divertirse un poco. Alguna vez, pensó Arocena, voy a recibir una carta como ésta dirigida a mí. O me la voy a escribir yo mismo. La puso a un lado, separada de las otras. Después tomó la que seguía. Estaba escrita a mano, con lápiz, con una letra trabajosa, sobre una hoja de cuaderno. Carajo, pensó Arocena en cuanto empezó a leer, ¿y este Juan Cruz Baigorria de dónde sale?

18.7.1850

Otra diferencia entre la novela que quiero escribir y las utopías que conozco (T. Moro, Campanela, Bacon): en mi caso no se trata de narrar (o describir) esa otra época, ese otro lugar, sino de construir un relato donde sólo se presenten los posibles testimonios del futuro en su forma más trivial y cotidiana, tal como se le presentan a un historiador los documentos del pasado. El Protagonista tendrá frente a sí papeles escritos en aquella época futura.

Un historiador que trabaja con documentos del porvenir (ése es el tema). El modelo es el cofre donde guardo mis papeles ¿Qué podría inferir de ahí alguien que los leyera dentro de 100 años, sin tener frente a sí nada más, sin conocer otra cosa de esta época cuya vida trata de reconstruir?

23.7.1850

Renacen viejas dolencias. Dolores en los huesos del cráneo. Un objeto helado, como de metal, clavado *entre* los huesos del cráneo: el dolor se expande y se difunde en las grietas y las molduras del cerebro. Aumento la dosis de Liquen sin resultado. El té es beneficioso tan sólo por las mañanas. *Estar sentado* el menor tiempo posible. De modo que he comenzado a pasearme por el cuarto. Debo continuar, a pesar de todo, en el pensamiento de aquel relato que se corresponde a mis esperanzas.

El tiempo "real" de la novela irá desde marzo de 1837 a junio de 1838 (Bloqueo francés, Terror). Durante ese lapso, por medio de un procedimiento que debo resolver, el Protagonista encuentra (tiene en su poder) documentos escritos en la Argentina en 1979. Reconstruye (imagina) al leer, cómo será esa época futura.

Un descubrimiento. Me paseaba por el cuarto, de un lado al otro, tratando de olvidar este dolor, cuando de pronto comprendí cuál debe ser la *forma* de mi relato utópico. El Protagonista recibe cartas del porvenir (que no le están dirigidas).

Entonces un relato epistolar. ¿Por qué ese género anacrónico? Porque la utopía ya de por sí es una forma literaria que pertenece al pasado. Para nosotros, hombres del siglo XIX, se trata de una especie arcaica, como es arcaica la novela epistolar. A ninguno de los novelistas contemporáneos (ni a Balzac, por ejemplo, ni a Stendhal, ni a Dickens) se le ocurriría escribir una novela utópica. Por mi parte trato de no leer a los escritores actuales. Busco mi inspiración en libros pasados de moda (*L'Ann 2440* de L. Mercier, *Las cartas persas* de Montesquieu, *Cándido o el optimismo* de Voltaire, *El sobrino de Rameau* de Diderot, *Aline et Valcour ou el roman philosophique* de Sade, *Las relaciones peligrosas* de Laclos).

Varias horas por día tendido en la cama. Un paño húmedo sobre los ojos. La crisis tiene que pasar.

24.7.1850

¿Por qué he podido descubrir que mi romance utópico tiene que ser un relato epistolar? Primero: la correspondencia en sí misma ya es una forma de la utopía. Escribir una carta es enviar un mensaje al futuro; hablar desde el presente con un destinatario que no está ahí, del que no se sabe cómo ha de estar (en qué ánimo, con quién) *mientras* le escribimos y, sobre todo, *después:* al leernos. La correspondencia es la forma utópica de la conversación porque anula el presente y hace del futuro el único lugar posible del diálogo.

Pero además existe una segunda razón. ¿Qué es el exilio sino una situación que nos obliga a sustituir con palabras escritas la relación entre los amigos más queridos, que están lejos, ausentes, diseminados cada uno en lugares y ciudades distintas? Y además ¿qué relación podemos mantener con el país que hemos perdido, el país que nos han obligado a abandonar, qué otra presencia de ese lugar ausente, sino el testimonio de su existencia que nos traen las cartas (esporádicas, elusivas, triviales) que nos llegan con noticias familiares?

Está entonces bien elegida por mí la forma de esa novela escrita en el exilio y *por él.*

Mi querido hijo: nosotros, tu madre y yo bien, quedando del mismo modo. Espero esta carta la recibas en salud. Tu madre cada vez más nerviosa. De noche casi no pega los ojos. Tiene miedo que te pueda pasar algo. ¿Seguís en Winnesburg, Ohio? Acá se trabaja que ni te digo y se gana cada vez menos. Desde que se murió el General no hay nadie que se acuerde de los pobres. Pero de eso no te escribo, por las dudas. Planté papa, planté un poco de zapallo y de remolacha, voy a ver si puedo plantar berenjenas y tomate, que es lo que rinde: si viene la helada, chau Espronceda. Siempre me acuerdo del finao mi padre, tenía ese dicho, Chau Espronceda, como quien dice estoy sonado, y otro dicho de cuando estábamos en Mendoza, en el '21:

En el cielo las estrellas, en el campo las espinas y en el medio de mi pecho Carlos Washington Lencinas, que era un político al que después un correntino lo dejó seco de un tiro. Acá, mucha preocupación; espero que vos estés bien en Winnesburg, Ohio. En el mapa no figura: estuvimos en la casa de don Crespo, vimos los Estados Unidos de Norteamérica, vimos la provincia de Ohio, pero no encontramos ese lugar. Tu madre preocupada, duerme poco. El más grande de los Weber me pregunta por vos cada vez que me ve: él es el único que se anima y se me acerca: la hermana a la final se casó con el rengo Ortigosa. En el campo ya no se puede estar: no alcanza ni para pagar el arriendo. Le voy a escribir a mi compadre Anselmo Arnaldo Maidana: está de oficial panadero en Ezpeleta, provincia de Buenos Aires. Quién te dice, empiezo de nuevo, otra vida; me instalo en la Capital. Me hubiera ido en el '46, esos sí que fueron tiempos felices, creo que todo habería andado mejor, a vos no te hubiera pasado lo que te pasó. En este pueblo de mierda, ¿quién se escuende? Los cazaron a todos como si estuvieran rabiosos: de las Ligas no queda nada. A los pobres nos vienen jodiendo desde la época de Mitre, como decía el finao mi padre. Igual, lo último que se debe perder es la Esperanza, vos hacete respetar y no agachés la cabeza, m'hijo. Que el mundo da vuelta, da vuelta y al final las cosas van a quedar al derecho. Yo me siento un pibe, con 63 abriles, estoy lo más bien, de salud, no me canso y hago pata ancha a lo que sea, pero quién me va a dar trabajo, decime, a esta edad que yo tengo. Por acá, en Pila, estuvo un circo hace poco. Payasos, leones y un tipo caminaba haciendo equilibrio encima un alambre que te daba impresión verlo allá arriba, en el aire tan alto, parecía un pajarito abriendo los brazos para hacer el equilibrio. Lo mejor, a mi entender, fue un recitador campero que hizo *El Gaucho Martín Fierro*, con mucho sentimiento y todo vestido de negro. "El fuego pa'calentar tiene que venir de abajo", dijo y yo me acordé del General Perón. ¿Hay vacas en Winnesburg, Ohio? Mirá que te fuiste lejos, parece el propio culo del mundo. Hiciste bien, igual, no va a faltar ocasión. No hay que dejarse atropellar. Yo pienso: de paso conoce mundo. Es lo que quise hacer yo en el 1946, '47, al irme a la Capital Federal, pero acá me quedé y a veces miro hacia allá, hacia el lado de Bolívar y pienso que el campo no me dejó ir. ¿Para qué? digo yo, si a la final la única tierra que puede tener un hombre es la que recibe cuando lo entierran. Tu madre siempre te extraña y a veces la encuentro llorando en la cocina, pero me hago el disimulado y ella se pasa una mano por los ojos, como si le hiciera mal el humo de las hornallas. Te saluda atentamente. Tu padre. *Juan Cruz Baigorria*.

La escritura ingenua, pensó Arocena. Por ese lado no lo iban a sorprender. Winnesburg, Ohio: se repite tres veces. Comprendió que había también cierta recurrencia en las palabras mal escritas. Las anotó, aparte, en una ficha. Después contó las letras: conectó ese número con el total de palabras de la carta: analizó esa cifra: clasificó según ese número las vocales del alfabeto. Trabajaba con la hipótesis de que el código debía estar cifrado en la misma carta. Todo podía ser un indicio para encontrar la clave que le permitiera descubrir el mensaje secreto.

25.7.1850

Ha vuelto ese dolor *helado*. Diminutos témpanos de hielo navegan por la sangre del cerebro.

Mis enemigos están dispuestos a todo. Figurarían documentos, haciéndolos valer con testigos falsos y cartas apócrifas; deformarían lo que yo he escrito y lo que otros han escrito sobre lo que yo he escrito: pagarían gente de mal vivir para que quemaran los sitios donde me escondo y guardo mis archivos y esto no les ha de ser difícil, aunque pago a una persona de mi confianza cuatro chelines para que los ronde toda la noche.

Sitios seguros: este cuarto en el East River, la pieza donde me encierro por las tardes con la Gata. ¿Y si ella fuera una espía? ¿No es extraño que una puta negra de la

Martinica hable de ese modo el español y me escuche con tanta atención? Sé cómo trabajan los delatores, el modo que tienen de fingir. Lo conozco por experiencia. ¿He hablado demasiado con ella? Hoy me ha dicho Lisette, cuando insinué mis sospechas, ¿qué tú sabes?, me ha dicho, relajada en el lecho, una rodilla alzada, la mano reclinada dulcemente sobre el follaje azul de su entrepierna, ¿qué tú crees? Ninguna mujer te será más leal que Lisette. ¿O no te he dicho que yo he visto en un sueño que entre nosotros dos algo malvado está por suceder? Te lo he dicho (me dijo) pero estoy contigo y tengo miedo pero estoy contigo aunque no haya podido yo saber ni qué, ni cuándo eso malvado nos vaya a suceder. ¿Qué tú piensas?, me dijo Lisette con una voz húmeda, blanda, como atemorizada por los presagios en los que sueña y siempre cree. ¿Qué tú te piensas, niño?, dijo la Gata y empezó a acariciarse con una lentitud letárgica la tersa piel de sus tetas de reina. ¿Que yo no sé que el mal me ha de venir de ti?

(De madrugada)

Prosigo. Bajo el agobio de la noche. En el cuarto, silencio de muerte —sólo mi pluma rasga el papel— pues me gusta pensar al escribir, ya que todavía no se ha inventado la máquina que reproduzca sobre cualquier material nuestros pensamientos inexpresados. Frente a mí un tintero para ahogar en él mi corazón; un par de tijeras; las hojas blancas que esperan mis palabras. Escribo:

> No muy lejos de casa vive una buena religiosa, una monja a quien a veces visito para gozar de su honestidad. Dejo asentado su nombre que es: Lisette Gazel. La conozco desde la cabeza a los pies, más exactamente que a mí mismo. No hace mucho era una monja esbelta y delgada; yo era médico; logré de pronto que se volviera negra su carne y que engordara y que aprendiera a hablar en español. Su hermana, Miss Rebba, vive maritalmente con ella (Lesbos): demasiado obesa (su hermana) para mi gusto: ahora puedo verla

> enflaquecida, piel y huesos, cadavérica —como un cadáver. Soy médico. Uno de estos días va a morir, lo que me complace porque le haré la autopsia.

Frente a mí veo las tijeras, un tintero, las hojas blancas que esperan mis palabras. Escribo:

> Esos papeles del pasado que guardo en un cofre son mi zoológico privado: se encierran allí bestias de tamaño reducido: lagartos, ratas, víboras de piel fría. Basta abrir la tapa para verlos bullir, diminutos, como los diminutos témpanos de hielo que navegan por mi sangre. En el redil de la historia apaciento los animales de la manada: los alimento con la carne de mis propios pensamientos.

Frente a mí veo las hojas blancas que esperan en la noche mis palabras. Escribo. Sólo mi pluma rasga el papel.

> Anoche, al hundir mi mano derecha en el cofre donde guardo mis papeles los bichos treparon hasta mi antebrazo, agitaban sus patitas, sus antenas, tratando de salir al aire libre. Esos reptiles que se arrastran por mi piel cada vez que me decido a hundir la mano en el pasado me producen una infinita sensación de repugnancia, pero sé que el roce escamoso de sus vientres, el contacto afilado de sus patas, es el precio que debo pagar cada vez que quiero comprobar quién es que he sido.

Frente a mí, un par de tijeras:

> Al desgarrarse la seda negra produce un chasquido extraño, parecido al del papel cuando se quema.

Arocena reordenó el texto, separó la carta en párrafos. La clave no coincidía. No había nada ahí. ¿No había nada ahí? Trabajó todavía un rato más pero al fin se decidió a abandonar esas hojas mal escritas. Buscó la carta que seguía.

Emilio Renzi, Sarmiento 1516, a Marcelo Maggi, Casilla de Correo 12. Concordia. Entre Ríos. Acomodó la luz de la lámpara y empezó, otra vez, a leer.

3

Querido Marcelo: Recibí la visita de la joven Angela, tu bella enviada y/o discípula (palabra extrañamente erótica, *discípula,* como si se declinara ahí, al mismo tiempo, la disciplina pedagógica y la prostitución) y seguiré tus misteriosas (y apasionantes) indicaciones. Uno tiene siempre la sensación de que atrás de tu vida hay algo oculto, un secreto que cultivás como otros las flores de su jardín. Efecto, creo, no tanto de la historia propiamente dicha, como vos insinuás, sino más bien del ejercicio de la profesión de historiador: dedicado tal cual estás a hurgar en el misterio de la vida de otros hombres (de otro hombre: Enrique Ossorio), has terminado por parecerte al objeto investigado.

Bien, llegaré a Concordia el 27, a las 10 de la mañana; viajo en tren. Tengo los números, las direcciones, etc., pero no creo que me hagan falta. Estas líneas, entonces, sólo para confirmarte fecha y hora: ya nos veremos (por fin), charlaremos interminablemente hasta dejar bien aclaradas nuestras respectivas versiones de la historia. Me siento tentado a decirte: Marcelo, voy a pararme en las escalinatas de la estación (seguro habrá escalinatas en la estación de trenes de Concordia), soy más bien bajo, pelo crespo, uso anteojos, llevaré un bolso de lona y en la otra mano (en la que me quede libre) un libro de tapas negras, firme contra mi pecho: serán los *Cuentos completos* de Martínez Estrada que acabo de comprar para leer en el viaje. ¿Pensaste que nunca nos vimos, que no nos conocemos, que esta es en realidad una *cita* entre dos desconocidos? Un abrazo, tío, *Le neveu de Rameau,* alias Emilio Renzi.

PS. Voy a conocer (también) al Senador. Arreglé un encuentro para el sábado con él, casi me olvido de avisarte, así que te agrego esto hoy, doce, día siguiente a la noche en que te escribí lo que antecede. Fue un quilombo que ni te digo (arreglar la entrevista). Hablé por teléfono. Primero me atendió una especie de mayordomo estilo novela de Agatha Christie que no me dio mayormente bola, si bien le pasó el aparato a la misma Agatha Christie, es decir, a una vieja (una mujer con voz de vieja) que dijo ser la mujer de uno de los hijos del Senador, a la que le repetí lo que le había comunicado al mayordomo (Esto es: Que quería hablar personalmente con el Doctor Luciano Ossorio.), a lo que me contestó que aguardara un instante: instante que duró cerca de media hora hasta que por fin surgió en el tubo la voz de uno de los hijos (Javier, creo) que empezó a interrogarme como si yo fuera, no un sobrino tuyo como le dije que era y por lo tanto, si uno lo piensa, una especie de pariente político de Esperancita y por lo tanto de todos ellos, sino como si yo fuera en realidad un agente de la KGB (por no decir de la CIA porque en ese caso seguro hubieran sido más comprensivos). Le dije que quería hablar con el Senador, que vos me habías dado el encargo, etc., y el tipo al principio no quería saber nada. (¿Para qué? ¿Cómo? No, hay que dejarlo descansar, era en esa línea.) Pero imprevistamente y sin que nada lo hiciera prever, cambió de idea con una flexibilidad para la modificación súbita que, sin duda, debe ser una peculiaridad del pensamiento de las clases altas y (de golpe) se volvió amable como una seda y me dijo que si esperaba un momento iba a trasladar el teléfono al otro lado de la casa donde se encontraban, dijo, las habitaciones donde "residía" su padre. Esperé más o menos siete horas, como si el tipo con el aparato hubiera tenido que cruzar los pasadizos, escaleras y corredores del Castillo de Elsinor para establecerme una comunicación telefónica directa con el fantasma del padre del príncipe Hamlet, hasta que, luego de ese laberíntico silencio, apareció la voz del Senador que tiene una voz increíble, como si hablara desde el otro mundo; una especie de tono distante, pero a la vez irónico y ostentoso, tan argentino (tan igual a lo que yo me supongo que es una voz argentina) que de inmediato tuve la impresión de estar hablando por teléfono con Juan Martín de Pueyrredón o cualquier otro patricio por el estilo. Entonces le dije que hablaba de parte tuya, que vos le mandabas un abrazo y que me gustaría visitarlo personalmente, si eso era posible, etc., y el viejo pareció encantado de tener noticias tuyas, pero luego de ese instante fugaz de alegría se puso serio y empezó a darme una serie de minuciosas y detalladísimas instrucciones sobre cómo llegar al ala del Castillo de Elsinor donde se supone que él "reside". Cómo tenía que subir por una escalera lateral que había al fondo de un pasillo de entrada y *no* tomar de ningún modo el ascensor y sobre todo *no* permitir que me acompañara ninguno de sus hijos o parientes. "No quiero que me anden cerca mis hijos, ni sus mujeres, ni mis nietos ¿me entiende? Usted sube solo, que ellos se mantengan alejados. Toda esa gente de vez en cuando", me dijo, "se siente impulsada por la piedad filial e irrumpen acá a ver si ya me he muerto", dijo el Senador. "¿Comprende, Joven? Por lo cual usted", me dijo, "primero cruce el pasillo y después suba la escalera que yo lo estaré esperando en mi sala de recibo". De forma tal que, después del sencillo trámite que te he sintetizado, pasado mañana lo voy a conocer al Senador y ya te contaré, cuando al fin nos encontremos el día 27 del corriente, vos y yo (en tu sala de recibo). Un abrazo. *Emilio.*

La crisis pasó. Retroceso de eso que llaman mi enfermedad.

Mi relato avanza. Sigo pensando en él. Reconstruir una época, su densidad, a partir de esas cartas dispersas que llegan de otra época. Trabaja el Protagonista con esos documentos como si fuera el historiador del porvenir. ¿Por qué las recibe? ¿De qué modo? Ninguna explicación: el relato no aclara las razones por lo que esto, de golpe, comienza a producirse. Todo estará dado de entrada; literatura fantástica (¿Quién de ustedes ha leído los relatos de Edgar Poe en el *Herald* de Baltimore?). Algunas, aisladas, casi triviales, cartas que se cruzan entre sí argentinos futuros. Cartas que parecen haberse extraviado en el tiempo. De a poco el Protagonista comienza a comprender. Trata de descifrar, a partir de esas señales casi invisibles, lo que está por suceder.

(Quién pudiera ser capaz de leer las cartas del porvenir.)

Saliste en el diario. Todos estamos *tan* orgullosos: en el club, el sábado no se hablaba de otra cosa. Te mando el recorte, la foto es chica pero estás igual. Monísimo. Mamá te tiene reservada una sorpresa, vos hacete el sorprendido. ¿A qué no sabés lo que pasó? Mamá y papá se pusieron a discutir. Mamá por poco se lo come. Dice que a él nunca le gustó que vos estudiaras física (¿es cierto eso?), que de entrada se opuso y ahora se hace el olvidado. Que quería que fueras abogado y te hicieras cargo de la Compañía: mirá qué porvenir, sólo pensarlo ya me da una ataque. Te diré que aquí llegan unas noticias *terroríficas* sobre el frío que hace en Europa. Alejandra, pobre chica, está hecha un trapo. ¿Por qué no le escribís? No te vayas a enamorar de una extranjera, no seas desalmado (¿es cierto que en Londres hay prostitutas *negras*?). Pero viví la vida mi querido, lo que es yo, soy una especie de sonámbula. Esto es un opio fenomenal. Buenos Aires parece Catamarca. (La grasa de las capitales ya no se banca más ¿Spinetta? *dixit*). ¿Vas al teatro, a los cabarets, etc., o te pasás todo el día *estudiando*? Tenemos un profesor de historia joven y *buenmocísimo;* todas las chicas estudian el primer Triunvirato y después levantan la mano. El otro día papá dijo que si las cosas siguen así este año vamos a pasar el verano en Europa (Otro secreto: *parece* que quiere comprar una casa en París). Andate preparando que me vas a tener que llevar a *todos* lados. Te diré que he pensado *seriamente* en irme de esta casa. Papá está directamente insufrible: Ustedes los jóvenes (por mí) tienen la cabeza hueca, hay que tenerlos a rienda corta (usa metáforas ecuestres); vamos a llevar (los jóvenes y especialmente yo) este mundo a la ruina. Te lo podés imaginar, si fuera por él habría que instalar una monarquía, decretar la reapertura de la Inquisición, etc. El profe de historia, pintón y todo, también sanatea que ni te digo: según él San Martín era monárquico, la desgracia de este país empezó cuando se nos ocurrió echar a los ingleses en la época de las invasiones, etc., etc., etc. No hay como oír hablar a los mayores para sentirme reconfortada. Hablando de eso (esta carta me sale un poco dispersa) hablando de eso, *repito:* ¿Cómo te las arreglás con el idioma ¿I am the sister? This is a pencil. Te envidio *muchísimo.* ¿Por qué no habré nacido varón? Estoy leyendo bárbaramente dicho sea de paso: quince, dieciséis horas por día leo: psicología, psicoanálisis, todo eso (Sigmund Freud, etc.). Creo que voy a seguir esa carrera. ¿A vos qué te parece? (*Importante:* Necesito urgentemente preguntarte algo ¿Te parece que soy inteligente? Desde hace un tiempo me siento levemente tarada. *¿Podrías* por una vez en tu vida contestar con seriedad algo que te pregunto? Para mí es muy importante, fundamental, etc. Contestame francamente: si te parece que soy de una inteligencia de mediana para abajo, decilo directamente con toda franqueza; no tengas miedo que me vaya a suicidar ni nada por el estilo). Desde hace un tiempo tengo como la sensación de que me estoy volviendo un poquito oligo. Por ejemplo: me paso el día contando los coches con chapa impar que pasan enfrente de casa. Es más fuerte que yo. Me atrae. No lo puedo resistir: de pronto me pongo a mirar por la ventana y a calcular cuántos coches con chapa impar cruzan enfrente de casa cada cinco minutos (pasan unos veinte, término medio). ¿No te parece algo raro? Contestame sobre esto que es muy importante. No puedo pasarme la vida contando coches con chapa impar y leyendo a Sigmund Freud (entiendo el doce y medio por ciento de lo que leo) (Leo *Psicopatología de la vida cotidiana:* es *bárbaro.* ¿Lo leíste?

Es bastante difícil por otro lado. Este asunto de los autos con chapa impar es particularmente *psicopatológico,* ¿o no?) Para colmo sabés lo que quiere mi padre: que estudie *escribanía.* Hay momentos en que pienso que es un monstruo, insufrible, imbancable, etc. Vive como si estuviéramos en la época del primer triunvirato (incluso le parecerían demasiado modernos, creo) ¡Escribanía! Aunque me exprima el cerebro doce horas seguidas es imposible que se me pueda ocurrir algo más absolutamente tarado que estudiar eso. De modo que ya tengo *completamente* decidido que voy a ser psicóloga. En cuanto me reciba, nos casamos. El incesto me parece *muy* interesante, moderno, pecaminoso, etc. (Te diré, *querido,* que en Oceanía o en Australia o por ahí, según Sigmund Freud, los hermanos se pueden casar con toda tranquilidad.) Contestame sobre todo esto que te pregunto de lo contrario creo que me voy a tirar abajo del primer coche con chapa impar que pase bajo mi *fenêtre.* Ah, te vino a ver ese muchacho con cara de gato (Ernesto o algo así, nunca se le entiende el nombre) que fue compañero tuyo en la Facultad. Casi me desmayo, es un morocho *tan* pecaminoso, te mira de soslayo con un aire tan pecaminosamente *viril* que una se cae desmayada. Dice que Angela está enferma, que la internaron de urgencia y que no le escribas; vino a eso (me lo repitió dos docenas de veces; él sí que está convencido de que soy retardada: que la internaron el 14 y que no le escribas, etc.). ¿Así que tenías una Angela escondida? Te odio. Nunca te vas a querer casar con tu hermana, ya lo sé. Los hombres son algo horrendo. Me mantendré célibe (¿o céliba?). *Adieu, mon semblable, mon frêre* (retomé la Alianza para cuando estemos en París). Son las once; ha llegado la hora de obedecer al llamado del instinto psicopatológico y dirigirme a mi ventana: hacia el mediodía (por razones misteriosas) se produce como una apasionada aceleración en el ritmo estadístico de los coches con patente impar; su frecuencia aumenta y de un promedio de veinte (cada cinco minutos), se pasa, en momentos de impar frenesí, a *casi* ventisiete (cada cinco minutos). Allá voy. Adiós, hermano cruel. Por supuesto te quiero hasta la demencia, te adoro, te idolatro, etc. Chau, falluto. Fdo. Juana, la loca.

Arocena separó el recorte que venía en el sobre. *Londres 9 (AFP). PREMIO. Martín Carranza, estudiante de post-grado en el Departamento de física de la Universidad de Oxford recibió ayer en ésta el premio único al mejor "paper" del año en la categoría Investigaciones de doctorado.* Premios, pensó, se progresa. Ahora los nenes de mamá se dedican a la física y sus hermanas se masturban con *Las flores del mal.* Trabajó cerca de una hora con esa carta. La dividió en fragmentos y cada fragmento en frases y cada frase en palabras y en letras. Buscó expresiones anagramatizadas, letras repetidas. Al final conocía casi de memoria ese texto y podía percibir con claridad su lógica. *París:* cinco letras. *Londres:* siete letras. Volvió a leer. De pronto comprendió que había una recurrencia *entre* las palabras subrayadas, una especie de repetición fija. El código podía estar en las letras que seguían al final de cada corte. Reconstruyó la carta a partir de esas separaciones y volvió a organizarla, pero la clave no era esa. Había algo que no concordaba.

¿Cómo descifrar entonces esas cartas? ¿De qué modo comprender lo que anuncian? Están en clave: encierran mensajes secretos. Porque eso son las cartas del porvenir: mensajes cifrados cuya clave nadie tiene.

¿De qué modo entender allí lo que viene y se anuncia? El Protagonista sospecha, insiste, se mueve a ciegas.

Quedaban otras dos cartas. Una dirigida a una extraña dirección en Buenos Aires: escrita a mano, en una hoja con membrete de un hotel de Bogotá. El que escribía estaba desesperado, en una Iglesia le habían robado todo lo que llevaba, pedía urgente un giro a la oficina de importaciones que era su lugar de trabajo.

Estoy varado en esta reputa ciudad donde no hay más que ladrones y olor a mierda. Cuatro tipos me pusieron una navaja en los riñones y me sacaron hasta el último centavo mientras el cura seguía diciendo la misa. No tengo documentos, ni plata, ni siquiera la libreta de direcciones, así que les escribo a ustedes porque la de la oficina es la única dirección que me puedo acordar de memoria. Hagan algo, por favor. Hagan por ejemplo una colecta o díganle al señor Peralta que me mande el sueldo de abril adelantado. Había que verificar dónde estaba esa oficina. La calle era extraña, Arocena nunca la había oído nombrar.

Era como moverse a ciegas, tratar de captar un hecho que iba a pasar en otro lado, algo que iba a suceder en el futuro y que se anunciaba de un modo tan enigmático que jamás se podía estar seguro de haber comprendido. El mayor esfuerzo consistía siempre en eludir el contenido, el sentido literal de las palabras y buscar el mensaje cifrado que estaba debajo de lo escrito, encerrado *entre* las letras, como un discurso del que sólo pudieran oírse fragmentos, frases aisladas, palabras sueltas en un idioma incomprensible, a partir del cual había que reconstruir el sentido. Uno, sin embargo, tendría que ser capaz (pensó) de descubrir la clave incluso en un mensaje que no estuviera cifrado. Por eso cuando al final se dedicó a leer la última carta y encontró la clave casi a primera vista y vio aparecer otro texto dentro del texto, Arocena se sintió a la vez satisfecho y decepcionado. Demasiado fácil, pensó, como si lo hubieran puesto ahí para que yo lo viera. Abrió la carta, venía de Nueva York, desde una calle en el East River, escrita con tinta azul sobre un papel amarillo.

Me ha pasado algo tan raro que te ahorro otras noticias personales. (Aparte de eso, estoy bien: visito Museos.) Estaba leyendo una novela de Bellow *(Mr. Sammler's Planet)* de esto hace casi una semana. La había comprado en un quiosco porque tenía que hacer tiempo mientras me renovaban la visa. Tomé un ómnibus que va por la calle 42, me senté y empecé a leer. De pronto levanto la cara y veo a un carterista que está robando a una mujer. Era corpulento, llevaba anteojos oscuros con montura de carey, vestía con extraordinaria elegancia. Yo estaba fascinado viéndolo actuar pero de pronto el tipo dio vuelta la cabeza y me miró, casi con placidez, a través del vidrio ahumado de los anteojos; entonces me sobresalté y casi sin querer bajé los ojos y seguí leyendo. Tardé un momento en darme cuenta de que lo que estaba leyendo era exactamente lo que pasaba en el ómnibus. Podés ver la edición de Random House de la novela, página 3. Vas a encontrar la descripción de un tipo corpulento, que usa anteojos oscuros con montura de carey y viste con extraordinaria elegancia, que le roba a una mujer en un ómnibus que va por la calle 42.

Quedé tan confundido que no pude reaccionar y cuando me quise dar cuenta la situación había terminado. El tipo con anteojos ahumados ya no estaba y yo empecé a pensar que todo había sido una alucinación. Después, mientras hacía fila en el consulado, pensé que era una coincidencia; a lo mejor el carterista trabajaba siempre en esa línea, alguna vez Bellow lo había visto actuar y había reproducido la escena. La naturaleza imita al arte; el realismo prolijo de los escritores norteamericanos, etc. Me olvidé (o casi) del asunto. Cuatro días después estaba en un cine de la calle Broadway: daban un extraño film sobre muñecas y gangsters. Es uno de esos cines que funcionan las 24 horas: eran las diez de la mañana y me metí ahí para olvidarme un poco del frío. El cine estaba casi vacío, había una claridad difusa, diurna, como si no hubieran apagado del todo las luces. En la pantalla las muñecas eran despedazadas y los gangsters morían. De pronto entró un tipo alto y se sentó cerca de mí, en la tercera fila de butacas. Se puso a hablar con otro, que le daba la espalda y al que yo no había visto, ubicado un poco a la izquierda, en la primera fila. Me llegaban sus voces apagadas, mezcladas con el sonido y la música del film. "No vale la pena que te molestes en visitar al Señor Brown", le decía el tipo que estaba sentado adelante sin dar vuelta la cara. Yo los miraba, recortados contra las siluetas del film, como en un sueño. "El Señor Brown ha tenido ya tantas delicadezas", dijo el que estaba sentado en la primera fila, sin dejar de mirar la película. Se quedaron un rato en silencio y después cruzaron frente a la pantalla y salieron por una puerta lateral que tenía un cartel de acrílico, alumbrado con una luz roja, donde decía EXIT. Creo que me quedé solo en el cine, de cara a las muñecas que giraban en la pantalla y entonces pude recordar. Vine a casa y estuve un rato dando vueltas hasta encontrar el libro de Donald Barthelme, *Come back, Dr. Caligari:* allí hay un cuento, podés verlo, se llama *Movie* (pág. 176, edición Secribner's, 1970). Me acuerdo que me quedé quieto, sentado, mirando la calle por la ventana. A veces me ha pasado que me entusiasmo con lo que leo y siento el deseo de vivirlo inmediatamente. Hace años, por ejemplo, cuando terminé *El gran Gatsby*, sentí impulsos de ser orgulloso y apasionado y de estar a la altura de mis ilusiones. Me sentía yo también elegante y un poco desesperado pero capaz de todo. Es como un clima, una atmósfera, o mejor un sentimiento, y esa impresión dura lo que duran los ecos de una música, siempre ha sido algo fugaz. Esto es distinto. No es una ilusión. Los acontecimientos se reproducen exactamente. Por eso traté de hacer una prueba. Tomé un libro al azar (*An accidental man*, de Grace Paley) y lo abrí. En el Central Park, una chica vestida de celeste juega con un aro y canta *Some of these days. You'll miss me honey*. Un chico viene de patinar en el lago. Lleva los patines sobre el hombro, atados con una correa. Se ponen a conversar. (Hi, Raquel, how're you do, etc.). En un costado una mujer se está besando con un viejo, la chica los ve y sin saber por qué tiene ganas de llorar. Es casi el atardecer, hay como una luz blanda y sucia. Salí a la calle, tomé el subterráneo y me bajé en la 8th. y 81. Crucé la avenida y entré en el parque; me orienté por el lago. Busqué un banco y me senté. Todo estaba quieto. De pronto vi a la chica sobre el camino de grava, vestida de celeste, jugando con un aro y cantando *Some of these days*. El chico venía caminando desde el lago, con los patines atados con una correa, sobre el hombro. En un costado una mujer se besa con un viejo y la chica, mientras canta, trata de no llorar.

Estoy tranquilo. Pienso: he descubierto una incomprensible relación entre la literatura y el futuro, una extraña conexión entre los libros y la realidad. Tengo solamente una duda: ¿Podré modificar esas escenas? ¿Habrá alguna forma de intervenir o sólo puedo ser un espectador? De cualquier modo no quisiera perder la felicidad que he sentido hace un rato, sentado en un banco del Central Park, viendo a la chica que cantaba *Some of these days* y jugaba con un aro, sabiendo, a la vez, que pronto iba a verla llorar cuando la mujer y ese viejo se besaran.

Comprendió de entrada dos cosas. Primero: que en el título de los libros y en los libros mismos no podía estar la clave; era demasiado evidente. Segundo: que trataban de distraerlo con esa historia. La clave estaba en otro lado. Las palabras que iniciaban los párrafos tenían once letras, todas empezaban con una vocal distinta. Las once letras marcaban el orden de las frases y daban el código que regía el mensaje cifrado. Arocena trabajó con calma y una hora después había reconstruido el texto oculto.

> *No hay novedades. Espero el contacto. Me quedaré en el Hotel Central Park, 8th. y 42. Broadway. Si no hay noticias antes del 10, seguiré las instrucciones 9.8. Si hay dificultades y tengo que volver, espero un telegrama. Que diga: Felicidades, Raquel.*

Se sentó frente a la máquina. Escribió: *Carta cifrada de Nueva York. De Enrique Ossorio a Marcelo Maggi.* Transcribió el mensaje que había descifrado. Después, abajo, agregó: *Mandar telegrama a Enrique Ossorio. Hotel Central Park. N.Y. Que diga: Felicidades, Raquel.*

Bastante imaginativo el pibe, pensó Arocena. Lo único que falta es que ahora se dediquen a la literatura fantástica.

Se levantó y juntó las otras cartas. En una ficha escribió: *Angela "internada" el 14. Concordia. Renzi, llega día 27. (Maggi).* Martín Carranza: post grado en Oxford. Pronto llegarían nuevos mensajes que hablarían de física cuántica o de los peces de colores. Miró la que venía de Colombia.

Esta no va, decidió, y durante un momento se divirtió pensando en el oficinista varado en una pensión rasposa de Bogotá. Que se joda por huevón, pensó, ir a misa con toda la plata encima. Entonces, como si la imagen de los ladrones que roban en una iglesia lo hubiera ayudado, pensó que un código podía también estar cifrado. Un código también es un mensaje, pensó.

Leyó otra vez el mensaje que terminaba de descifrar. (No hay novedades. Espero el contacto. Me quedaré en el Hotel Central Park, 8th. y 42. Broadway. Si no hay noticias antes del 10, seguiré las instrucciones 9.8. Si hay dificultades y tengo que volver, espero un telegrama. Que diga: Felicidades, Raquel.) Contó las letras, encolumnó las palabras. 3 x 2 + 5 = 11. Once. La misma cifra. ¿Las vocales estaban salteadas? ¿Las consonantes? A las dos horas había reconstruido el mensaje que se encerraba en el código que acababa de descifrar.

Raquel llega a Ezeiza el 10, vuelo 22.03

Miró la frase. Estaba ahí, escrita en el papel. Raquel llega a Ezeiza el 10, vuelo 22.03. ¿Y si no fuera así? ¿Quién podía confiar? Raquel: anagrama de Aquel. Escribió *Aquel* en una ficha. La dejó aparte. Ezeiza: e/e/i/a. Doble z. ¿Una aliteración? Estaban las cifras: 22.0310. La *e* se repite seis veces en toda la frase. La *a* se repite cuatro veces en toda la frase. Hay una *o* y una *i*. Cada palabra podía ser un mensaje. Cada letra. ¿Quién llega? ¿Quién está por llegar? Las cifras: 2.20.31.0. E/e/a/i/u/o. Doble z. Raquel: un anagrama. ¿Quién llega? ¿Quién está por llegar? A mí, pensó Arocena, no me van a engañar.

4

30.7.1850

Escribo la primera carta del porvenir.

Segunda parte

Descartes

IV

VI

1

Se lo ha visto a las diez de la mañana bajar del tren que llega de la Capital. Se detuvo en las escalinatas de la estación, un poco desorientado; preguntó de qué lado quedaba el río. Nos veremos a las seis. Combinamos por teléfono. Soy Emilio Renzi, me dice. Ha viajado a Concordia especialmente. Señor Tar*do*wski. Tardewski, le digo. Se pronuncia Tardewski, con acento en la segunda vocal. Le explico cómo llegar al Club, cómo encontrarme y me despido. Mucho gusto, etc. ¿Quién le hablaba? me dice Elvira. Un sobrino del Profesor. Vino a buscar unos papeles que quedaron acá, le digo. Ella no me cree. Es difícil decir la verdad cuando se ha abandonado la lengua materna. Tenga cuidado, por favor, no se mezcle, me dice. Sus ojos de una claridad liquida son realmente extraordinarios. ¿Claridad líquida? Una de las primeras cosas que se pierde al cambiar de idioma es la capacidad de describir. ¿Que no me mezcle? ¿A qué vino? pregunta ella. ¿Quién? le digo. Ese muchacho ¿a qué vino? Es simple; el Profesor decidió irse de viaje. Habló con su sobrino, le dijo que me viera. Posiblemente, le digo, el Profesor regrese hoy. Entonces Elvira me pidió que no mintiera. No mienta, dijo. Por favor, a mí no me mienta.

Y sin embargo yo no miento. Tal vez convenga demostrar que no miento.

Conocí al Profesor Marcelo Maggi en el Club Social; nos encontrábamos habitualmente para cenar o jugar al ajedrez. Debo decir que él no era explícito conmigo (ni yo con él); conozco de su vida lo que ha querido hacerme saber. ¿Tenía una vida secreta? Todos tenemos una vida secreta.

Una tarde, hace de eso casi diez días, el Profesor vino a buscarme acá, cosa inusual. Me dijo que tenía que pedirme algo, pero prefería que yo no le hiciera preguntas. Si yo quería hacerle preguntas, dijo, ese era el momento, antes de que él me pidiera nada. Yo no tenía preguntas que hacerle. Entonces me pidió pasar la noche en casa.

Pasó esa noche en mi casa. Conversamos hasta la madrugada. ¿Sobre qué se puede conversar hasta la madrugada?

En un momento dado, esa noche, el Profesor dijo que quería dejarme los borradores y las notas de un libro que estaba escribiendo. Ya habíamos hablado sobre ese libro en varias oportunidades. Prefería que yo guardara esas carpetas, me dijo, hasta que él me las pidiera o mandara a alguien a pedirlas por él.

Me dijo también que posiblemente cruzara esa tarde al Uruguay para despedirse de una mujer con la que había vivido en otra época. Quería despedirse de ella, dijo, porque pensaba irse de viaje y no estaba seguro de poder volver a verla.

Quedamos en encontrarnos dos días después, a la hora de siempre, en el Club. Si por algún motivo no llegaba trataría, dijo, de estar de vuelta a más tardar el 27.

Dos días después no vino al Club y tampoco los días siguientes. Desde entonces (hoy es 27) no tengo noticias de él.

Es esto, más o menos, lo que le explico a Renzi cuando nos encontramos en el Club, a las seis de la tarde. ¿Y entonces?, me dice él. Nada, le digo. Vamos a esperarlo. No bien llegue, seguro vendrá por acá. Si llega, dice él. Claro, le digo, si es que puede volver hoy. Así que entonces, dice él. Es extraño. De un día para otro. Parecía saber bien, le digo, lo que estaba haciendo. Por otro lado, le digo, no era un hombre al que le interesara mucho dar explicaciones. ¿Y por qué, después de todo, iba a dar explicaciones? Decidió irse, le digo. Eso es todo. Ya veo, dice él. Pero ¿por qué esa noche, Marcelo?, empieza a decir Renzi. Una forma, quizás, lo interrumpo, de estar acompañado. Tener alguien con quien hablar mientras llega la mañana. Fuimos buenos compañeros de ajedrez el Profesor y yo, durante estos años. El no tenía muchos amigos; daba sus clases, se encontraba a veces con sus alumnos, ellos iban a visitarlo. Desde hace un tiempo, le digo, vivía en un Hotel, uno que está a la orilla del río, del otro lado de la Plaza, quizás usted lo vio al venir hacia acá. Parecía querer olvidarse de sí mismo; no le gustaban las confidencias. Por otro lado ¿a quién pueden interesarle, en estos tiempos, las confidencias?

Renzi pensaba que de todos modos yo debía tener alguna hipótesis. ¿Qué pensaba yo que había pasado? No soy el más indicado, quiero que sepa, le digo, para hacer hipótesis o dar explicaciones sobre la conducta de los demás. Yo vivo ¿cómo le diré? un poco apartado. Incluso a veces pienso que él cultivó mi amistad, si podemos llamarla así, le digo, cultivó mi amistad durante todo este tiempo porque estaba preparando esta retirada y necesitaba de mí, de Vladimir Tardewski, o sea de alguien como yo, un desterrado, un extranjero. Hace años que nadie se ocupa mayormente de mí y usted, la verdad, es la primera persona que me visita, para decirlo así, desde la vez que vino a verme el Cónsul y me pidió que me naturalizara, a lo que me negué.

Después le dije que yo no era como él, como el Profesor; a mí, le dije, no me gusta cambiar. Por otro lado cambiar es muy difícil ¿no cree usted? Las cosas deben cambiar, transformarse, ¿pero uno? Le dije que cambiar era mucho más difícil y arriesgado de lo que la gente podía imaginarse.

Entonces Renzi quiso saber sobre qué habíamos conversado, aquella noche, el Profesor y yo. Pensaba que esa noche quizás Marcelo había dicho o insinuado algo que nos permitiera, dijo, entender por qué había decidido irse. Yo también pienso, dijo Renzi, que él sabía desde el principio lo que estaba haciendo, lo que quería hacer, y que si empezó a escribirme fue porque en un sentido también conmigo, dijo Renzi, estaba preparando la retirada y quería que en ese momento, cuando eso sucediera, yo estuviera acá, como estoy ahora, dijo, con usted, preparado, dispuesto a esperarlo. Por eso creía que si era posible reconstruir, aunque fuera parcialmente, lo que nosotros habíamos hablado esa noche, tal vez se pudiera encontrar una pista, o al menos, dijo, un principio de explicación.

Yo le dije que lo mejor era no tratar de explicar con palabras lo que un hombre había decidido hacer con su vida. En todo caso, le dije, podríamos hablar de eso después, cuando también nosotros nos hubiéramos conocido un poco mejor. Le pregunté si no quería tomar otra ginebra y llamé al mozo.

En este club, le dije a Renzi, se puede tomar y tomar sin que nadie se alarme. Ve ese hombre ahí, ese gordo, de campera, se emborracha todas las noches, siempre solo, y mantiene una extraña dignidad. Se cuenta de él, le digo a Renzi, una historia dolorosa. Limpiando una escopeta había matado a su mujer con la que llevaba tres meses de casado. Le dije que sin duda había sido un accidente y no un crimen, porque nadie mata a la mujer con quien se ha casado hace tres meses de esa manera, con un tiro de escopeta en la cara, salvo que esté loco. Y además, le digo, el hombre ha quedado literalmente quebrado después del accidente. No hace otra cosa que emborracharse y decir que a las armas las carga el diablo. Dos ginebras, sí, le digo entonces ahora al mozo. Traiga, por favor, otro poco de hielo. Usted, sin duda, le digo a Renzi, habrá leído a mi compatriota Korzeniowski, el novelista polaco que escribía en inglés. Un renegado, para decir la verdad, un romántico de la peor especie. Vivía fascinado por esa clase de personajes. El hombre que tiene un secreto. Pero ¿quién de nosotros no tiene un secreto? Hasta el tipo más insignificante, le digo, si dispusiera de un auditorio, podría fascinarnos con el misterio de su vida. Ni siquiera hace falta haber matado a una mujer con un tiro de escopeta. Ese otro tipo ¿ve?, el que está ahí, cerca de esa columna, se llama Iriarte, tiene un negocio de relojes, es el tipo clásico del insignificante y sin embargo, estoy seguro, cuando ha bebido lo necesario, también él sueña con el gran hombre que estuvo a punto de ser. En algún momento de su vida debe haberse encontrado frente a un hecho que necesita mantener oculto. Nos pasa a todos. Cada uno de nosotros, le digo, tiene su propio repertorio de momentos extraordinarios y de ilusiones heroicas. Todos, me dice Renzi, la diferencia está en que algunos son capaces de realizarlas. ¿Las ilusiones? Depende de la edad. Después de los treinta, le digo, ya no somos otra cosa que una triste amalgama de ilusiones y de mujeres a las que hemos matado con un tiro de escopeta. Por otro lado, le digo a Renzi, lo que un hombre piensa de sí mismo no tiene ninguna importancia.

Renzi me dijo entonces que el Profesor no era así. No estaba seguro de conocerlo bien, dijo, pero podía imaginarse perfectamente cómo pensaba. ¿Y cómo pensaba?, le pregunto, según usted. En contra de sí mismo, siempre en contra de sí mismo, me dijo Renzi, a quien ese método le parecía una garantía, casi infalible, de lucidez. Es un excelente método de pensamiento, me dijo. Pensar en contra, le digo, sí, no está mal. Porque él, Marcelo, me dijo Renzi, desconfiaba de sí mismo. Nos adiestran durante demasiado tiempo en la estupidez y al final se nos convierte en una segunda naturaleza, decía Marcelo, me dice Renzi. Lo primero que pensamos siempre está mal, decía, es un reflejo condicionado.

Hay que pensar en contra de sí mismo y vivir en tercera persona. Eso dice Renzi que le decía en sus cartas el Profesor Maggi. Brindemos entonces por él, le digo. Por el Profesor Marcelo Maggi, que aprendió a vivir en contra de sí mismo. Salud, dice Renzi. Salud, le digo.

Y sin embargo ya ve, el Profesor también hizo lo que pudo, como todo el mundo, le digo ahora a Renzi. Un día, según parece, decidió irse de viaje, cambiar de vida, empezar de nuevo ¿quién sabe? en otro lugar. Y ¿qué es eso?, después de todo, le digo, ¿si no una ilusión moderna? A todos nos pasa en el fondo. Todos queremos, le digo, tener aventuras. Renzi me dijo que estaba convencido de que ya no existían ni las experiencias, ni las aventuras. Ya no hay aventuras, me dijo, sólo parodias. Pensaba, dijo, que las aventuras, hoy, no eran más que parodias. Porque, dijo, la parodia había dejado de ser, como pensaron en su momento los tipos de la banda de Tinianov, la señal del cambio literario para convertirse en el centro mismo de la vida moderna. No es que esté inventando una teoría o algo parecido, me dijo Renzi. Sencillamente se me ocurre que la parodia se ha desplazado y hoy invade los gestos, las acciones. Donde antes había acontecimientos, experiencias, pasiones, hoy quedan sólo parodias. Eso trataba a veces de decirle a Marcelo en mis cartas: que la parodia ha sustituido por completo a la historia. ¿O no es la parodia la negación misma de la historia? Ineluctable modalidad de lo visible, como decía el Irlandés disfrazado de Telémaco, en el carnaval de Trieste, año 1921, dijo, críptico, Renzi. Después me preguntó si *realmente* yo lo había conocido a James Joyce. Marcelo me dijo que usted lo conoció a Joyce, me parece tan fantástico, me dijo Renzi. Lo conocí, le digo, en fin, lo vi un par de veces; era un tipo extremadamente miope, bastante hosco. Pésimo jugador de ajedrez. El hubiera aceptado, supongo, su versión de que sólo existe la parodia (porque en realidad, y dicho entre paréntesis, ¿qué era él sino una parodia de Shakespeare?), pero habría rechazado su hipótesis de que ya no existen las aventuras. Yo mismo le voy a confesar, le confieso a Renzi, yo mismo me resisto a aceptar esa hipótesis. ¿Será porque soy europeo? El profesor decía de mí que yo venía a cerrar la larga sucesión de europeos aclimatados en este país. Yo era el último de una lista que se iniciaba, según él, con Pedro de Angelis y llegaba hasta mi compatriota Witold Gombrowicz. Esos europeos, decía el Profesor, habían logrado crear el mayor complejo de inferioridad que ninguna cultura nacional hubiera sufrido nunca desde los tiempos de la ocupación de España por los moros. Pedro de Angelis era el primero, decía el Profesor, le digo a Renzi. Un hombre refinado, un erudito, experto en Vico y en Hegel, preceptor de los hijos de Joaquín Murat, agregado cultural en la corte de San Petersburgo, colaborador de la *Revue Enciclopédique* que, amigo de Michelet y de Desttut de Tracy, recaló en Buenos Aires y se convirtió en la mano derecha de Rosas. Frente a él Echeverría, Alberdi, Sarmiento, parecían copistas desesperados, diletantes corroídos por un saber de segunda mano. Yo era, según Maggi, el último eslabón de esta cadena: un intelectual polaco que había estudiado filosofía en Cambridge con Wittgenstein y que terminaba en Concordia, Entre Ríos, dando clases privadas. En este sentido, le digo, mi situación le parecía al Profesor la metáfora más pura del desarrollo y la evolución subterránea del europeísmo como elemento básico en la cultura argentina desde su origen. Todas las contradicciones de esa tradición se encarnaban en esos intelectuales europeos que habían vivido en la Argentina y yo no era más que el ejemplo final de su paulatina disgregación. Conozco, dijo Renzi, algo me contó en sus cartas Marcelo de todo esto. Una tesis singular, le digo, pero de todos modos ¿por qué me acordé de eso? Hablábamos de otra cosa y entonces yo. Ah sí, le digo, en realidad quería discrepar con su hipótesis sobre la ausencia de aventuras y pensaba que quizás esa discrepancia se debe a mi origen europeo, fue ahí que me acordé de De Angelis, etc. En realidad yo pensaba, le dije, que los argentinos, los sudamericanos, en fin, la generalización que prefiera usar, tienen una idea excesivamente épica de lo que debe ser considerado una aventura. Déjeme que le cuente una historia, le digo. Una vez estuve internado en un hospital, en Varsovia. Inmóvil, sin poder valerme de mi cuerpo, acompañado por otra melancólica serie de inválidos. Tedio, monotonía, introspección. Una larga sala blanca, una hilera de camas, era como estar en la cárcel. Había una sola ventana, al fondo. Uno de los enfermos, un tipo huesudo, afiebrado, consumido por el cáncer, un hijo de franceses llamado Guy, había tenido la suerte de caer cerca de ese agujero. Desde allí, incorporándose apenas, podía mirar hacia afuera, ver la calle. ¡Qué espectáculo! Una plaza, agua, palomas, gente que pasa. Otro mundo. Se aferraba con desesperación a ese lugar y nos contaba lo que veía. Era un privilegiado. Lo detestábamos. Esperábamos, voy a ser franco, que se muriera para poder sustituirlo. Hacíamos cálculos. Por fin, murió. Después de complicadas maniobras y sobornos conseguí que me trasladaran a esa cama al final de la sala y pude ocupar su sitio. Bien, le digo a Renzi. Bien. Desde la ventana sólo se alcanzaba a ver un muro gris y un fragmento de cielo sucio. Yo también, por supuesto, empecé a contarles a los demás sobre la plaza y sobre las palomas y sobre el movimiento de la calle. ¿Por qué se ríe? Tiene gracia, me dice Renzi. Parece una versión polaca de la caverna de Platón. Cómo no, le digo, sirve para probar que en cualquier lado se pueden encontrar aventuras. ¿No le parece una hermosa lección práctica? Una fábula con moraleja, me dice él. Exacto, le digo.

Fíjese en mí, le digo ahora. Vine a este pueblo hace más de treinta años y desde entonces estoy de paso. Estoy siempre de paso, soy lo que se dice un ave de paso, sólo que permanezco siempre en el mismo lugar. Permanezco siempre en el mismo lugar *pero* estoy de paso, le digo. Así somos él y yo, tal vez le sirva, le digo a Renzi, tipos sin arraigo, gente anacrónica, los últimos sobrevivientes de una estirpe en disolución.

Entonces le dije que el único modo de sobrevivir era matar toda ilusión. Ser reflexivo, matar toda ilusión. Por lo tanto no vacile en ser reflexivo. El Profesor, por ejemplo, era un hombre que reflexionaba sobre los principios. Mejor dicho, le digo, era un hombre de principios. Especie también rara en estos tiempos. ¿Qué tenemos si no los principios para sostenernos en medio de toda esta mierda? fue una de las cosas que me dijo esa noche que pasó conmigo en casa, el Profesor. Tenía fe en las abstracciones, le digo, en eso que comúnmente uno llama abstracciones. Las ideas abstractas lo ayudaban a tomar decisiones prácticas, con lo cual, le digo a Renzi, dejaban de ser ideas abstractas.

Entonces Renzi me preguntó por qué le decía yo que tenía que reflexionar. O en fin, dijo, sobre qué tendría él que reflexionar sin ilusiones. Sobre él, le digo, sobre el Profesor, sobre el aventurero. Me gustaría poder verlo, antes que nada, me dice Renzi, para que dejara de ser, él mismo, una abstracción para mí. ¿Verlo? ¿Por qué no? Si le ha dicho que viniera hoy, le digo, es porque hoy es el día que ha elegido, sin duda, para regresar. Vamos a esperarlo, le digo. Si ha querido irse, también ahora puede querer volver, le digo. Podemos esperarlo toda la noche. Estoy seguro de que hoy él va a volver. Tenemos tiempo, le digo, recién a las seis de la mañana sale el tren para Buenos Aires. Si él no regresa podrá entonces usted tomar ese tren. Nos quedaremos juntos, le digo, si le parece, hasta la madrugada, esperando que llegue el Profesor. Iremos a mi casa, después. Ahí, en mi casa, tengo, si no me equivoco, unas notas que tomé esa noche que pasé con el Profesor, antes de que él se fuera, unos apuntes sobre lo que hablamos, se los daré a leer, si para entonces el Profesor no ha vuelto. Mientras, me gustaría que nos quedáramos un rato más acá, en el Club, podemos incluso comer algo. Este es el lugar donde yo paso mi vida, en esos salones uno puede hacerse la ilusión de que tiene un mundo propio, que está acompañado, que el tiempo no pasa.

En aquella mesa ¿ve?, le digo a Renzi, ahí desde donde ahora nos saludan, están mis amigos. Ellos dos son, aparte del Profesor, mis mejores compañeros acá. Tokray y Maier. Nos hemos unido, quizás, porque los tres somos expatriados. Extranjeros. Escorias que la marea de las guerras europeas depositó sobre estas playas. El más antiguo de nosotros, no sé si alcanza a verlo, ese hombre de lentes y traje oscuro, es Antón Tokray. Hijo natural de un noble ruso, sufrió todas las desventajas que la revolución produjo en su familia, sin recibir ninguna de sus compensaciones.

Cuando el ejército rojo ocupó la inmensa finca patriarcal, él tenía 18 años y hacía dos que había sido enclaustrado en un monasterio donde lo esperaba la carrera esclesiástica. En los bastardos de la nobleza se reclutaban en tiempo de los zares los miembros de la élite religiosa. Pero estalló la revolución. Los obreros, campesinos y soldados entraron en el monasterio, pusieron a todos los seminaristas y a los monjes, incluso, supongo, al mismo padre Zózima, en fila contra la pared y les preguntaron si sabían que el Zar ya no gobernaba todas las Rusias. ¿Y quién gobierna en esta tierra por designio y caridad de Dios, nuestro Señor? preguntó uno de los monjes, muy posiblemente, como le digo, el padre Zózima. Gobiernan los obreros, campesinos y soldados, dijeron los obreros, campesinos y soldados. Y en cuanto a Dios, dijeron, este señor ha escapado de Rusia con toda su corte celestial para ir a refugiarse bajo la sotana del Papa en el Vaticano. Motivo por el cual el conde Tokray, recién recuperado su título nobiliario por propia decisión aprovechando las alteraciones producidas por la historia, vio interrumpida su carrera eclesiástica y cruzó a Finlandia disfrazado de mujer y desde allí, luego de infinitas penurias, pudo llegar a París y desde allí, haciéndose pasar por un campesino judío, se vino a la Argentina con uno de los últimos contingentes de inmigrantes enviados por el Barón Hirsh a las colonias de la pampa gringa y se instaló en Concordia, Entre Ríos, donde abrió un salón dedicado a propagar, por medio de la enseñanza personal, los ritos, modales y maneras que se deben usar en la mesa y en la sociedad para ser considerado un caballero o una mujer distinguida.

Al principio la academia funcionó bien, pero después, como decía el Profesor, el peronismo le tiró el negocio a la mierda con su populoso desdén por la observancia y conservación de las virtudes aristocráticas. Hace tantos años que el conde vive exiliado que terminó por adquirir un aire de soñadora indiferencia y a veces me parece ver en él la imagen de mi propio porvenir. En cuanto a Rudholf Von

Maier ha sido, casi con seguridad, un nazi. Por supuesto, como todos los nazis entró en el partido obligado y no se debe olvidar además, según dice, que todos los alemanes simpatizaban al principio con el Führer y con su campaña contra los parados, la inflación y el bolchevismo, plagas que estaban a punto de destruir a la nación. Sobre los campos de concentración, como todos los alemanes, nunca supo nada hasta el momento de los procesos de Nüremberg, a los que siguió, según dice, con atención horrorizada pero ya en Buenos Aires, desde las páginas del *Argentinischen Tageblatt*. Ni siquiera participó en la guerra: su colaboración bélica consistió en ordenar los archivos y la biblioteca científica de una sección especial de los SS dedicada a la investigación genética. De allí le viene, como usted pronto podrá ver, el confuso conglomerado de teorías biológicas y la confianza casi mística en la especialización científica que circula en sus conversaciones; sobre todo, le digo, en sus conversaciones con Pedro Arregui, que es quien está sentado en ese costado de la mesa ¿lo ve ahí? Toda la desordenada erudición de Maier está destinada a instruir a Arregui que lo escucha fascinado. Están hechos el uno para el otro. Arregui es el oyente ideal y su confianza en las virtudes del saber son infinitas. Forman así un dúo pedagógico perfecto. Comparten la misma pieza en una pensión cerca de aquí y sobreviven gracias al sueldo de Arregui que trabaja en una oficina del Catastro Municipal. Maier alecciona a Arregui, lo instruye, y supongo que mientras el otro trabaja él prepara los temas de sus disertaciones. Maier es el que está sentado de frente a nosotros. El que ahora nos sonríe ¿ve? No tiene la menor cara de alemán, como usted puede apreciar, si es que existe eso que podemos llamar una cara de alemán. En realidad es una curiosa localización entrerriana de la especie universal de los enciclopedistas autodidactas. No sé si alcanza a oírlo; si se ubica así, le digo a Renzi, de este lado; me gustaría que lo escuchara.

La frenología, claro, se oye decir a Maier. Una de las pocas ciencias casi exactas que se pueden aplicar a la moral.

Ahora ha sido sustituida en gran parte por la superstición vienesa. ¿Vienesa? se oye decir a Arregui. Sí. De Viena, Austria, donde vivía un tipo que una noche de 1897 soñó con su tío porque no dejaban enseñar en la Universidad a los judíos. Frenología, entonces, dijo Maier. Freno, de frenar, del latín: *detente César*, o sea control. Logía, de *logía*, en latín, primera acepción: sociedad secreta; lógica en su segunda acepción, o sea conocimiento. Ciencia lógica del control. Se controla a los criminales, a los inadaptados. Se los clasifica según la forma del cráneo. Es básica, dice Maier, la *forma* del cráneo. La maldad siempre ha obedecido a una estructura geométrica. ¿Por qué motivo, por ejemplo, se habla de círculo vicioso? ¿Eh? Círculo vicioso: como sucede siempre en las expresiones sedimentadas en el lenguaje se decanta ahí una vieja sabiduría, por eso, dicho sea de paso, dice Maier, el saber es siempre etimológico. ¿O no vemos en esa frase con total claridad el enlace secreto entre la geometría (círculo) y la moral (vicioso) que es el fundamento teórico de la ciencia frenopática? le oímos decir a Maier.

Bouvard y Pécuchet, dice Renzi. Parecen Bouvard y Pécuchet. ¿Lo oye ahora? le digo.

Claro; la teoría de la relatividad. La presencia del observador altera la estructura del fenómeno observado. Así la teoría de la relatividad es, como su nombre lo indica, la teoría de la acción relativa. Relativa, de *relata:* narrar. El que narra, el narrador. *Narrator,* dice Maier, quiere decir: el que sabe.

En ese dúo entre Maier y Arregui aparece como condensada y llevada al límite esa relación que interesaba al Profesor: el intelectual europeo que, instalado en la Argentina, viene a encarnar el saber universal. Había rastreado una serie de etapas y de parejas típicas, con sus tensiones, sus debates y sus transformaciones. De Angelis-Echeverría en la época de Rosas. Paul Groussac-Miguel Cané en el '80. Soussens-Lugones en el novecientos. Hudson-Güiraldes en la década del '20. Gombrowicz-Borges en los años '40 y la cosa seguía, como declinando y degradándose a medida que el europeísmo perdía fuerza, para terminar de un modo ejemplar en la relación entre Maier y Arregui. Las últimas estribaciones de esa larga serie, sostenía el Profesor, desembocan en Entre Ríos. Cuando estaba contento el Profesor decía que incluso la relación entre nosotros, entre él y yo, formaba parte de la misma estructura. En esas parejas el intelectual europeo era siempre, en especial durante el siglo XIX, el modelo ejemplar, lo que los otros hubieran querido ser. Al mismo tiempo muchos de estos intelectuales europeos no eran más que copias fraguadas, sombras platónicas de otros modelos. Claro, por ejemplo Charles de Soussens, dijo Renzi y durante un tiempo se hizo cargo él, Renzi, de desarrollar la teoría de Maggi que nos dedicábamos a reconstruir como un modo de tenerlo al Profesor entre nosotros. Una especie, dijo Renzi, de copia para uso nostro de Verlaine, eso era Soussens. Escribía poemas en francés en la mesa de los bares y era como una representación local de lo que debía entenderse por un poeta maldito. Encarnaba de un modo absolutamente perfecto al Bohemio. Deambulaba borracho por la ciudad, en la mayor miseria, contando anécdotas de su amigo Paul Verlaine mientras Lugones, funcionario burocrático, escritor encorsetado, delegaba el prestigio y las desventajas de los apasionados desarreglos del Poeta en su doble europeo radicado en Buenos Aires. Lugones por supuesto era abstemio, practicaba esgrima, decía disparates sobre filología y traducía a Homero sin saber griego, dijo Renzi. Un tipo realmente ridículo este Lugones, para decir la verdad: el modelo mismo del Poeta Nacional. Escribía de tal modo que ahora uno lo lee y se da cuenta de que es uno de los más grandes escritores cómicos de la literatura argentina. Comicidad involuntaria, dirá usted, pero creo que allí residía su genio, dijo Renzi. Esa capacidad desmesurada para ser cómico sin darse cuenta lo convierte en el Buster Keaton de nuestra cultura. ¿Usted leyó *La guerra gaucha*? Uno la lee y encuentra allí un talento cómico tan refinado, tan *natural*, que al lado de él, incluso los chistes de Macedonio Fernández no tienen gracia. Por ejemplo el chiste: "No entiendo cómo Lugones, siendo una persona tan informada, que ha leído tanto, tan estudioso de la literatura, todavía no se ha decidido a escribir un libro". Los chistes de Macedonio Fernández, incluso ese, carecen totalmente de gracia, comparados con los textos de Lugones. Un cómico de la lengua, eso era Lugones, dijo Renzi. Un humorista con el genio de Mark Twain. Incluso, empieza a decir Renzi pero yo lo interrumpo porque veo acercarse a Tokray. Perdone, le digo a Renzi, ese que se acerca, el que ahora viene hacia acá, es el conde Tokray.

¿Molesto? dice el conde Tokray. De ningún modo, señor conde, le digo. ¿Cómo está usted, señor Tardewski? dice el conde. Muy bien, le digo. ¿Por qué no se sienta? Le voy a presentar a Emilio Renzi, sobrino del Profesor Maggi. Un minuto, dice. Los interrumpo sólo un minuto, dice el conde Tokray mientras se acomoda en la silla. Joven, muy honrado de conocerlo. El conde dijo que enseguida iba a retirarse porque nunca había podido acostumbrarse a trasnochar. En realidad, dijo, a veces pienso que me voy a dormir temprano porque el primer sueño es el más generoso y tengo siempre la esperanza de poder soñar con mi casa natal. ¿Sabe usted, me dice el conde, que he sido invitado por el cónsul ruso en Paraná a asistir a un cóctel en el que se festeja no sé qué inexpresivo aniversario? ¿Cree usted que debo ir? ¿No será una broma siniestra? Dijo que había recibido una invitación, en realidad una tarjeta oficial, donde se lo invitaba a un lunch en el consulado. Le confieso, dijo el conde, que me siento tentado a asistir, si bien temo que sea una broma o incluso una trampa. ¿Y sabe por qué, a pesar de todo, estoy tentado a ir? Porque hace más de cincuenta años que no me encuentro en un lugar donde más de dos personas vivas hablen en ruso. Escucho el idioma de mis antepasados en los sueños y a veces voy a ver los films soviéticos sólo para oír los diálogos, pero en ese caso tengo siempre la impresión de estar viendo una película filmada en Hollywood, digamos por Walt Disney, y *doblada* al ruso. Tenía la ingrata sensación, dijo el conde, de que los rusos actualmente hablaban la lengua de Pushkin como si estuviera traducida del inglés. Ninguno de ustedes puede imaginarse lo que es la música de nuestra lengua natal. *Vesta fiave soglidatay krasavitsa movosti jvat,* recitó el conde Tokray. Oh, las palabras de mi tierra, dijo, música inolvidable. Otra cosa que lo hacía dudar sobre las verdaderas intenciones de esa invitación, dijo después, era que en la tarjeta habían escrito Señor Antón Tokray. *Señor* Antón Tokray, eso me ha parecido una ofensa deliberada e inútil. Puedo asegurarles que si hubiera tenido la certeza de que en Rusia sería reconocido mi título de Conde, quizás, digo quizás, me hubiera decidido a regresar. Lo había pensado más de una vez, dijo. Más de una vez he pensado volver. Incluso, dijo, he pensado ¿en qué podría trabajar yo? Y he tenido una idea. Como guía en un Museo, pensó el conde que podría trabajar en Rusia de haber decidido regresar. Podría instruir a las jóvenes generaciones en el sentido y en el valor de los viejos monumentos que atesoran la historia de nuestra antigua patria rusa. He pensado, incluso, dijo el conde, que yo mismo me podría convertir en un Museo. ¿Existirán museos que consistan en una sola persona? Es algo que no he podido verificar. Yo mismo podría ser ese Museo. Bastaría que me instalaran en una habitación de alguno de los viejos palacios, que me rodearan de la decoración adecuada y de la servidumbre que se usaba entonces y yo podría ser un Museo viviente de las costumbres y los modales de la antigua Rusia. Podrían visitarme para ver cómo vivía un noble ruso antes de la revolución. Sería una instructiva experiencia para los jóvenes; yo podría ser visitado por escolares, delegaciones provinciales, incluso por turistas extranjeros. No es lo mismo un Museo, dijo el conde, construido con muñecos o figuras de cera, que un museo viviente. Podrían observar mis maneras, mis modales, mi forma de usar el lenguaje, toda esa distinción natural que la marea de las historia no ha borrado. Y le diré más, dijo el conde, no me sentiría incómodo sino todo lo contrario. No lo consideraría una afrenta, ni una colaboración abierta con el Régimen. Sería en realidad un ejemplo de mi fidelidad al Zar y a la cultura y las costumbres de la época de esplendor de la nobleza rusa, conservada y preservada por mí. En mí persistiría la memoria de ese tiempo feliz, cuando todos hablábamos francés desde la cuna, cuando nuestras institutrices eran francesas y aprendíamos el alfabeto en francés, aprendíamos a rezar y a escribir en francés. Ustedes sin duda habrán leído algo de todo eso en los libros del conde León Tolstoy. Pero en este caso sería distinto: no es lo mismo leer sobre una época, que ver a esa época aunque sea de un modo restringido y en uno de sus últimos representantes. De modo, dijo el conde, que si yo hubiera sido designado ese museo, no vayan a creer ustedes que habría vivido eso como una forma de colaborar con el Régimen, sino más bien lo contrario. Por un lado se preservarían, sin distorsiones, las mejores tradiciones de la antigua cultura, y por otro lado, bajó la voz el conde, estoy seguro de que sería un modo de retomar el programa y los deberes de la Restauración defendidos, con heroísmo pero sin suerte, por el Ejército Blanco; quiero decir, ese museo serviría, estoy seguro, para hacer reflexionar a los jóvenes rusos a quienes les bastaría comparar el antiguo modo de vida representado por mí, con la vida actual, con su propia vida en esos monobloques *onereux et bizarres;* les bastaría sólo con comparar para que los velos cayeran de sus ojos. ¿No podría ser esa una forma de iniciar el movimiento de conciencia que nos lleve a la derrota del Régimen y a la Restauración? Dijo que varias veces, en momentos de melancolía y de honda nostalgia había comenzado a redactar una carta para ofrecer sus servicios, y si se detuvo, dijo, fue porque comprendió que ellos no iban a permitir que los esplendores de la inolvidable vida aristocrática rusa pudieran servir de ejemplo a las jóvenes generaciones educadas en la ignorancia. A veces, dijo, se imaginaba su regreso, la perspectiva Nevsky, la primavera de San Petersburg, su vida como modelo y representación de las glorias perdidas del pasado; pero de a poco, dijo el conde, se había ido arrancando esa esperanza del corazón. Ya no tenía esperanzas, dijo, sólo tenía la esperanza de que Dios se apiadara de vez en cuando de él y le concediera la bendición de soñar con su casa natal. Me había arrancado esa esperanza y ahora me llega esa invitación. Una invitación, dijo. ¿Qué hacer frente a una invitación oficial? se preguntaba el conde. ¿Qué debe hacer, se preguntaba, un caballero frente a una invitación? Vacilo, dijo, ante esa aparente muestra de gentileza. Porque puede ser una gentileza, sé que allá las cosas han cambiado, se sabe que ya no son tan fanáticos, ahora mandan los técnicos, esos hombres grises y realistas. Incluso, dijo con una sonrisa, el hecho de que ellos fueran realistas ya los acercaba un poco. Yo también soy realista, dijo el conde; un zar, un rey, no son más que matices. Y ellos son realistas, han abandonado esas lamentables utopías inventadas por los *sans culottes*, les importa cada vez más la eficacia y la técnica. *Pero*, sin embargo, temo que esa invitación sea una trampa. Además ¿de qué me serviría concurrir? Podría recordar el sabor inolvidable del caviar, pero tendría que soportar, dijo, oír a mi bella lengua natal hablada como si fuera una traducción del inglés. De todos modos, por lo que sabía, el cónsul ruso en Paraná no era una persona desagradable, lo había observado desde lo alto, una noche, en un teatro de Concepción del Uruguay, durante una representación dada el 9 de julio para el cuerpo diplomático con la presencia del Ballet Bolshoi. El conde había asistido, dijo, y desde el paraíso, mientras se emocionaba con la inmortal música de nuestro inmortal Tchaikovski, se había dedicado a enfocar con sus prismáticos al cónsul ruso. Parece un hombre distinguido, algo *opaque mas distingué*. Creo que es ingeniero, dijo; son todos ingenieros ahora allá, dado que no hay más obreros, es un estado de ingenieros, soldados y burócratas y el cónsul pertenece al estamento de los ingenieros. Creo que es músico, pero sobre todo ingeniero. En realidad el cónsul le parecía una persona bien. Se llama Igor Suslov y si no recuerdo mal su madre era prima del sobrino de una hermana de mi abuelo paterno. Quizás por eso me ha invitado, dijo el conde; en un sentido somos parientes, el ingeniero y yo; pero no iré, porque las leyes internacionales aseguran de un modo irrebatible el carácter permanente de los títulos nobiliarios. ¿*Señor* Tokray? dijo el conde. *Niet*. Se trata para mí de una cuestión de honor. Pero, dijo mirando el reloj de pared al fondo del salón, los he entretenido ya mucho más de lo necesario. Le preguntó a Renzi si le gustaba la ciudad, si no le parecía demasiado tropical y después, bajando un poco la voz, me comunicó el fallecimiento de Malcolm Firmin. ¿Sabía yo que él había muerto? me preguntó. Se había desnucado en la bañadera, quizás había bebido demasiado, dijo, lo cierto es que resbaló y se quebró la cabeza como un *oeuf* contra el filo de la bañadera. Tendría que haber asistido a su entierro, dijo, pero la noticia le llegó con retraso. Es un hombre a quien el alcohol, la mala reputación y la desdicha, dijo el conde, lo han conducido al más allá. Murió desnudo, dijo, como había nacido. Desnudo. Y en eso debemos ver una triste imagen de nuestra desolada situación en este frágil *pont* de la vida. Hablando de eso, dijo el conde Tokray, bajando imperceptiblemente aun más la voz, ¿no podría usted, querido Tardewski, prestarme, usted, si le es posible, a usted, unos *kopeks*, quiero decir, un poco de dinero? Me gustaría por lo menos llevar algunas flores a esa tumba inglesa y no he recibido cierto dinero que estoy aguardando. ¿Sería posible entonces, dijo el conde, un pequeño préstamo? ¿una pequeña cantidad por un pequeño lapso para poder llegarme hasta la oscura tumba donde yace mi amigo? ¿Está bien así, señor conde?, le digo. Perfectamente. Perfectísimamente. Le agradezco mucho su amabilidad, señor Tardewski. ¿Nos veremos acá, quizás *demain*? ¿Le parece bien? Le dije que me parecía muy bien. Joven, dijo el conde, poniéndose dificultosamente de pie, ha sido un placer conocerlo. ¿Sabe usted, dijo, que es usted la viva estampa de su tío? La *même figure.* ¿No es así Volodia? ¿No tiene el joven un asombroso parecido con el rostro joven de su tío? Y a propósito, dijo, hace tiempo que no se lo ve al Profesor por el Club. Está de viaje, dije yo. ¿De viaje? *Parfaît.* Había oído decir que no estaba bien de salud. Pero ya no los entretengo más, que estén bien, que la pasen bien, ya nos veremos, dijo el conde Tokray y empezó a alejarse.

¿Lo ve usted caminar? le digo a Renzi; su modo de andar es como una cita mal empleada de las maneras que las institutrices francesas enseñaban a los jóvenes de la nobleza rusa, incluso a los hijos naturales de esa nobleza, como las más apropiadas a un caballero en el momento de atravesar un lugar público. El cuerpo erguido ¿no es verdad?, deslizando apenas los pies sobre la tierra. Una cita, entonces, de lo que un noble ruso debe pensar que es alejarse con dignidad. Una cita mal usada, le digo a Renzi, pero no una parodia. Tiene algo de patético, sin duda, le digo, pero no es paródico. Trata de un modo desesperado de mantener la dignidad pero ya le es casi imposible sobrevivir. Lo mantenemos entre varios, es decir, entre varios europeos que vivimos desterrados en Entre Ríos; somos seis. Nos pide una módica suma mensual a cada uno, siempre con un pretexto nuevo. El pretexto de hoy ha sido, para su alivio, verdadero. Firmin ha muerto, para su desdicha, y así su futuro se ensombrece aun más. Firmin era uno de los seis que le daba ese pequeño dinero mensual. Supongo que el temor de que nos vayamos muriendo, uno tras otro antes que él, no debe ayudarlo a dormir al conde Tokray.

Sin embargo no son hombres como el conde Tokray los europeos sobre quienes, le digo a Renzi, el Profesor construyó su teoría. No se trataba tampoco de los inmigrantes, ni siquiera de los viajeros que escriben o han escrito sobre la Argentina. Se trataba más bien de aquellos intelectuales europeos que, integrados en la cultura argentina, habían cumplido en ella una función particular. Esa función no podía estudiarse sin tener en cuenta el carácter dominante del europeísmo: porque justamente era su línea de continuidad y su transformación lo que ellos venían a encarnar. El ejemplo más nítido era, para el Profesor, el caso de Groussac. En realidad veía en Groussac al más representativo de estos intelectuales trasplantados, antes que nada porque había actuado en el momento preciso, justo cuando el europeísmo se constituye en elemento hegemónico. Groussac es el intelectual del '80 por excelencia, decía el Profesor; pero sobre todo es el intelectual europeo en la Argentina por excelencia. De allí que haya podido cumplir ese papel de árbitro, de juez y verdadero dictador cultural. Este crítico implacable, a cuya autoridad todos se sometían, era irrefutable porque era europeo. Tenía lo que podemos llamar una mirada europea autenticada y desde ahí juzgaba los logros de una cultura que se esforzaba en parecer europea. Un europeo legítimo se divertía a costa de estos nativos disfrazados. Se reía de todos ellos, le parecían meros literatos sudamericanos. Y a su vez, él, Groussac, no era más que un francesito pretencioso que gracias a Dios había venido a parar a estas riberas del Plata, porque sin duda en Europa no habría tenido otro destino que el de perderse en un laborioso anonimato, disuelto en su meritoria mediocridad. ¿Qué hubiera sido Groussac de haberse quedado en París? Un periodista de quinta categoría; aquí, en cambio, era el árbitro de la vida cultural. Este personaje, no sólo antipático, sino paradójico, era en realidad un síntoma: en él se expresaban los valores de toda una cultura dominada por la superstición europeísta. Pero, sin embargo Borges, me dice Renzi, se ríe de él. ¿De Groussac? le digo, no parece. Claro, no parece, dice Renzi. Por un lado Borges hace los elogios que le conocemos, *dice* cosas sobre Groussac. Pero la verdad de Borges hay que buscarla en otro lado: en sus textos de ficción. Y *Pierre Menard, autor del Quijote* no es, entre otras cosas, otra cosa que una parodia sangrienta de Paul Groussac. No sé si conoce usted, me dice Renzi, un libro de Groussac sobre el Quijote apócrifo. Ese libro escrito en Buenos Aires y en francés por este erudito pedante y fraudulento tiene un doble objetivo: primero, avisar que ha liquidado sin consideración todos los argumentos que los especialistas pueden haber escrito sobre el tema antes que él; segundo, anunciar al mundo que ha logrado descubrir la identidad del verdadero autor del Quijote apócrifo. El libro de Groussac se llama (con un título que podría aplicarse sin sobresaltos al Pierre Menard de Borges) *Un enigme littéraire* y es una de las *gaffes* más increíbles de nuestra historia intelectual. Luego de laberínticas y trabajosas demostraciones, donde no se ahorra la utilización de pruebas diversas, entre ellas un argumento anagramático extraído de un soneto de Cervantes, Groussac llega a la inflexible conclusión de que el verdadero autor del falso Quijote es un tal José Martí (homónimo ajeno y del todo involuntario del héroe cubano). Los argumentos y la conclusión de Groussac tienen, como es su estilo, un aire a la vez definitivo y compadre. Es cierto que entre las conjeturas sobre el autor del Quijote apócrifo las hay de todas clases, dijo Renzi, pero ninguna, como la de Groussac, tiene el mérito de ser físicamente imposible. El candidato propiciado en *Un enigme littéraire* había muerto en diciembre de 1604, de lo cual resulta que el supuesto continuador plagiario de Cervantes no pudo ni siquiera leer impresa la primera parte del Quijote verdadero. ¿Cómo no ver en esa chambonada del erudito galo, me dice Renzi, el germen, el fundamento, la trama invisible sobre la cual Borges tejió la paradoja de *Pierre Menard, autor del Quijote*? Ese francés que escribe en español una especie de Quijote apócrifo que es, sin embargo, el verdadero; ese patético y a la vez sagaz Pierre Menard, no es otra cosa que una transfiguración borgeana de la figura de este Paul Groussac, autor de un libro donde demuestra, con una lógica mortífera, que el autor del Quijote apócrifo es un hombre que ha muerto *antes* de la publicación del Quijote verdadero. Si el escritor descubierto por Groussac había podido redactar un Quijote apócrifo antes de leer el libro del cual el suyo era una mera continuación ¿por qué no podía Menard realizar la hazaña de escribir un Quijote que fuera a la vez el mismo y otro que el original? Ha sido Groussac, entonces, con su descubrimiento póstumo del autor posterior del Quijote falso quien, por primera vez, empleó esa técnica de lectura que Menard no ha hecho más que reproducir. Ha sido Groussac en realidad quien, para decirlo con las palabras que le corresponden, dijo Renzi, enriqueció, acaso sin quererlo, mediante una técnica nueva el arte detenido y rudimentario de la lectura: la técnica del anacronismo deliberado y de las atribuciones erróneas.

¿Quién está citando a Borges en este incrédulo recinto? preguntó Marconi desde una mesa cercana. En esta remota provincia del litoral argentino ¿quién está citando de memoria a Jorge Luis Borges?, dijo Marconi y se puso de pie. Déjeme que le estreche la mano, dijo y empezó a acercarse. Esa técnica de aplicación infinita nos insta a recorrer la *Odisea* como si fuera posterior a la *Eneida*, recitó Marconi. Esa técnica puebla de aventura los libros más calmosos. Porque la literatura es un arte, siguió recitando Marconi y se interrumpió para decir: ¿Puedo sentarme? Porque la literatura es un arte que sabe profetizar aquel tiempo en que habrá enmudecido y encarnizarse con su propia disolución y cortejar su fin. Mi nombre, dijo, es Bartolomé Marconi. ¿Cómo estás, Volodia? Bartolomé, por el padre Bartolomé de las Casas y no por Mitre, patricio que, como usted sabrá bien, aquí en la provincia de Entre Ríos es una mala palabra. Bartolomé, entonces, dijo Marconi ya sentado, por aquel fraile que en 1517 tuvo mucha lástima de los indios que se extenuaban en los laboriosos infiernos de las minas de oro antillanas, y propuso al emperador Carlos V la importación de negros que se extenuaran en los laboriosos infiernos de las minas de oro antillanas. A esa curiosa variación de un filántropo, dijo Marconi, debo mi nombre. En cuanto a mi apellido es una curiosa variación autóctona del inventor del teléfono. ¿Del teléfono o de la radio, Volodia? De la radio, creo, dije. El joven Renzi, dije después, es un joven escritor, lo que se dice, dije, una joven promesa de la joven literatura argentina. Bien, dijo Marconi, estoy desolado y envidioso. En Buenos Aires, aleph de la patria, por un desconsiderado privilegio portuario, los escritores jóvenes son jóvenes incluso después de haber cruzado la foresta infernal de los 33 años. ¿Qué no harían en esa ciudad con Rimbaud o con Keats? Los clasificarían, estoy seguro, en la sub-especie de la nunca demasiado bien ponderada literatura infantil. Para decirlo todo, dijo Marconi, sangro por la herida. Porque ¿cómo podría hacer yo, polígrafo resentido del interior, para integrar, como un joven, a pesar de mis ya interminables 36 años, el cuadro de los jóvenes valores de la joven literatura argentina? Me sirvo un poco de ginebra, dijo Marconi. ¿Volodia? ¿Renzi? No se preocupe, Marconi, dijo Renzi, ya no existe la literatura argentina. ¿Ya no existe?, dijo Marconi. ¿Se ha disuelto? Pérdida lamentable. ¿Y desde cuándo nos hemos quedado sin ella, Renzi? dijo Marconi. ¿Te puedo tutear? Hagamos una primera aproximación metafórica al asunto, dijo: La literatura argentina está difunta. Digamos entonces, dijo Marconi, que la literatura argentina es la difunta Correa. Sí, dijo Renzi, no está mal. Es una correa que se cortó. ¿Y cuándo? dijo Marconi. En 1942, dijo Renzi. ¿En 1942? dijo Marconi, ¿justo ahí? Con la muerte de Arlt, dijo Renzi. Ahí se terminó la literatura moderna en la Argentina, lo que sigue es un páramo sombrío. Con él ¿terminó todo? dijo Marconi. ¿Qué tal? ¿Y Borges? Borges, dijo Renzi, es un escritor del siglo XIX. El mejor escritor argentino del siglo XIX. Puede ser, dijo Marconi. Sí, dijo, correcto. Una especie de realización perfecta de un escritor del '80, dijo Renzi. Un tipo de la generación del '80 que ha leído a Paul Valery, dijo Renzi. Eso por un lado, dijo Renzi. Por otro lado su ficción sólo se puede entender como un intento consciente de concluir con la literatura argentina del siglo XIX. Cerrar e integrar las dos líneas básicas que definen la escritura literaria en el XIX. ¿A ver? dijo Marconi. Punto uno, el europeísmo, dijo Renzi. Lo que se sabe, de eso hablábamos recién con Tardewski; lo que empieza ya con la primera página del *Facundo*. La primera página del *Facundo*: texto fundador de la literatura argentina. ¿Qué hay ahí? dice Renzi. Una frase en francés: así empieza. Como si dijéramos la literatura argentina se inicia con una frase escrita en francés: *On ne tue point les idées* (aprendida por todos nosotros en la escuela, ya traducida). ¿Cómo empieza Sarmiento el *Facundo*? Contando cómo en el momento de iniciar su exilio escribe en francés una consigna. El gesto político no está en el contenido de la frase, o no está solamente ahí. Está, sobre todo, en el hecho de escribirla en francés. Los bárbaros llegan, miran esas letras extranjeras escritas por Sarmiento, no las entienden: necesitan que venga alguien y se las traduzca. ¿Y entonces? dijo Renzi. Está claro, dijo, que el corte entre civilización y barbarie pasa por ahí. Los bárbaros no saben leer en francés, mejor: son bárbaros *porque* no saben leer en francés. Y Sarmiento se los hace notar: por eso empieza el libro con esa anécdota, está clarísimo. Pero resulta que esa frase escrita por Sarmiento (*Las ideas no se matan*, en la escuela) y que ya es de él para nosotros, no es de él, es una cita. Sarmiento escribe entonces en francés una cita que atribuye a Fourtol, si bien Groussac se apresura, con la amabilidad que le conocemos, a hacer notar que Sarmiento se equivoca. La frase no es de Fourtol, es de Volney. O sea, dice Renzi, que la literatura argentina se inicia con una frase escrita en francés, que es una cita falsa, equivocada. Sarmiento cita mal. En el momento en que quiere exhibir y alardear con su manejo fluido de la cultura europea todo se le viene abajo, corroído por la incultura y la barbarie. A partir de ahí podríamos ver cómo proliferan, en Sarmiento pero también en los que vienen después hasta llegar al mismo Groussac, como decíamos hace un rato con Tardewski, dice Renzi, cómo prolifera esa erudición ostentosa y fraudulenta, esa enciclopedia falsificada y bilingüe. Ahí está la primera de las líneas que constituyen la ficción de Borges: textos que son cadenas de citas fraguadas, apócrifas, falsas, desviadas; exhibición exasperada y paródica de una cultura de segunda mano, invadida toda ella por una pedantería patética: de eso se ríe Borges. Exaspera y lleva al límite, entonces, me refiero a Borges, dice Renzi, exaspera y lleva al límite, clausura por medio de la parodia la línea de la erudición cosmopolita y fraudulenta que define y domina gran parte de la literatura argentina del XIX. Pero hay más, dice Renzi. ¿Querés ginebra? dice Marconi. Dale, dice Renzi. ¿Volodia? Con un poco más de hielo, le digo. Pero hay más, hay otra línea: lo que podríamos llamar el nacionalismo populista de Borges. Quiero decir, dice Renzi, el intento de Borges de integrar en su obra también a la otra corriente, a la línea antagónica al europeísmo, que tendría como base la gauchesca y como modelo el *Martín Fierro*. Borges se propone cerrar también esta corriente que, en cierto sentido, también define la literatura argentina del siglo XIX. ¿Qué hace Borges? dice Renzi. Escribe la continuación del *Martín Fierro*. No sólo porque le escribe, en *El fin*, un final. ¿Querés un cigarrillo? dice Renzi. Esperá. No sólo porque le escribe un final, dice ahora, sino porque además toma al gaucho convertido en orillero, protagonista de estos relatos que, no casualmente Borges ubica siempre entre 1890 y 1900. Pero no sólo eso, dice Renzi, no es sólo una cuestión temática. Borges hace algo distinto, algo central, esto es, comprende que el fundamento literario de la gauchesca es la transcripción de la voz, del habla popular. No hace gauchesca en lengua culta como Güiraldes. Lo que hace Borges, dice Renzi, es escribir el primer texto de la literatura argentina posterior al *Martín Fierro* que está escrito desde un narrador que usa las flexiones, los ritmos, el léxico de la lengua oral: escribe *Hombre de la esquina rosada*. De modo que, dice Renzi, los dos primeros cuentos escritos por Borges, tan distintos a primera vista: *Hombre de la esquina rosada y Pierre Menard, autor del Quijote* son el modo que tiene Borges de conectarse, de mantenerse ligado y de cerrar esa doble tradición que divide a la literatura argentina del siglo XIX. A partir de ahí su obra está partida en dos: por un lado los cuentos de cuchilleros, con sus variantes; por otro lado los cuentos, digamos, eruditos, donde la erudición, la exhibición cultural se exaspera, se lleva al límite, los cuentos donde Borges parodia la superstición culturalista y trabaja sobre el apócrifo, el plagio, la cadena de citas fraguadas, la enciclopedia falsa, etc., y donde la erudición define *la forma* de los relatos. No es casual entonces que el mejor texto de Borges sea para Borges *El sur*, cuento donde esas dos líneas se cruzan, se integran. Todo lo cual no es más que un modo de decir, dice Renzi, que Borges deber ser leído, si se quiere entender de qué se trata, en el interior del sistema de la literatura argentina del siglo XIX, cuyas líneas fundamentales, con sus conflictos, dilemas y contradicciones, él viene a cerrar, a clausurar. De modo que Borges es anacrónico, pone fin, mira hacia el siglo XIX. El que abre, el que inaugura, es Roberto Arlt. Arlt empieza de nuevo: es el único escritor verdaderamente moderno que produjo la literatura argentina del siglo XX. Una de las indudables virtudes de los intelectuales porteños, dijo Marconi, es su nunca del todo envidiada capacidad para decirlo todo de corrido. Sí, dijo Renzi, las teorías es mejor enunciarlas de corrido, sobre todo si uno ha tomado suficiente ginebra. Y entonces, dijo Marconi, ¿puedo esperar ahora una teoría de corrido sobre Roberto Arlt? Cómo no, dijo Renzi, respiro un poco y enseguida te enuncio una veloz teoría sobre la importancia de Arlt en la literatura argentina. En realidad, dijo Marconi, esto parece una novela de Aldous Huxley. ¿Huxley? dijo Renzi. Prefiero el capítulo de la Biblioteca, Escila y Caribdis, en la Telemaquiada gaélica. Discutamos entonces sobre Hamlet, dijo Marconi. Che, dijo Renzi, pero Concordia está lleno de eruditos. Recién empiezo, dijo Marconi: ¿O no demostraremos mediante el álgebra que el nieto de Hamlet es el abuelo de Shakespeare y que él mismo es el espectro de su propio padre? ¿Eh, Buck Mulligan? dijo Marconi. Viejo, vos tenés una memoria que ni el mismo José Hernández, dijo Renzi. Un poeta sin memoria, dijo Marconi, es como un criminal abrumado y casi anulado por la decencia. Un poeta sin memoria es un oxímoron. Porque el Poeta es la memoria de la lengua. ¿Cómo entonces esperar de mí que hable de Arlt? dijo Marconi. Porque digo yo, con perdón de los presentes, ¿qué era Arlt aparte de un cronista de *El mundo*? Era eso, justamente, dijo Renzi: *un cronista del mundo*. Después de lo cual vos me dirás, sin dudas, que podía ser un cronista de las pelotas pero que escribía mal. Exacto, dijo Marconi, en esta parte yo te digo que Arlt escribía mal y de ese modo, supongo, te doy pie para tu veloz carrera teórica. Pero aparte de eso, dijo Marconi, la verdad que escribía como el culo. ¿Quién? dijo Renzi ¿Arlt? No, Joyce, dijo Marconi. Arlt, claro, Arlt, dijo. Me merece el mayor de los respetos pobre cristo, dijo Marconi, pero la verdad, escribía como si quisiera arruinarse la vida, desprestigiarse a sí mismo. El masoquismo que le venía de su lectura de Dostoievski, ese gusto por el sufrimiento a la manera de Aliosha Karamazov, él lo destinaba exclusivamente a su estilo: Arlt escribía para humillarse, dijo Marconi, en el sentido literal de la expresión. Tiene, no hay duda, un mérito indudable: peor no se puede escribir. En eso es imbatible y es único. ¿Terminaste, Morriconi? dijo Renzi. Marconi, viejo, dijo Marconi. Me llamo Marconi, no te hagas el distraído. Tranquilidad, dije yo. *Pacem in terris*. No hay como el latín, dijo Marconi, para calmar los ánimos. Entonces, dijo después, quedamos en que Arlt escribía mal. Exacto, dijo Renzi, escribía mal: pero en el sentido moral de la palabra. La suya es una *mala* escritura, una escritura perversa. El estilo de Arlt es el Starvroguin de la literatura argentina; es el Pibe Cabeza de la literatura, para usar un símil nativo. Es un estilo criminal. Hace lo que no se debe, lo que está mal, destruye todo lo que durante cincuenta años se había entendido por escribir bien en esta descolorida república. Cita de Borges, dijo Marconi: descolorida república. Cualquier maestra de la escuela primaria, incluso mi tía Margarita, dijo Renzi, puede corregir una página de Arlt, pero nadie puede escribirla. Y no, dijo Marconi, eso seguro que no, nadie puede escribirla salvo él. Pero no te interrumpo más, en serio, te escucho, dijo. ¿Ginebra? Sí, dijo Renzi. ¿Volodia? dijo Marconi. Bueno, dije yo. Arlt escribe contra la idea de estilo literario, o sea, contra lo que nos enseñaron que debía entenderse por escribir bien, esto es, escribir pulcro, prolijito, sin gerundios ¿no? sin palabras repetidas. Por eso el mejor elogio que puede hacerse de Arlt es decir que en sus mejores momentos es ilegible; al menos los críticos dicen que es ilegible: no lo pueden leer, desde su código no lo pueden leer. El estilo de Arlt, dijo Renzi, es lo reprimido de la literatura argentina. Todos los críticos (salvo dos excepciones), todos los que escribieron sobre Arlt, desde una punta a otra del espinel, desde Castelnuovo, digamos, hasta Murena, están de acuerdo en una sola cosa: en decir que escribía mal. Es una de las pocas coincidencias unánimes que puede ofrecer la literatura argentina. Cuando llegan a ese punto bajan todas las banderas y se ponen de acuerdo. Conciliación conmovedora, dijo Renzi, que no hubiera alegrado al difunto. Tienen razón, dado que Arlt no escribía desde el mismo lugar que ellos, ni tampoco desde el mismo código. Y en esto Arlt es absolutamente moderno: está más adelante que todos esos chitrulos que lo acusan. ¿Porque cuándo aparece en la literatura argentina la idea de estilo, dijo Renzi, la idea del escribir bien como valor que distingue a las buenas obras? Por de pronto es una noción tardía. Aparece recién cuando la literatura consigue su autonomía y se independiza de la política. La aparición de la idea de estilo es un dato clave: la literatura ha comenzado a ser juzgada a partir de valores específicos, de valores, digamos, dijo Renzi, puramente literarios y no, como sucedía en el XIX, por sus valores políticos o sociales. A Sarmiento o a Hernández jamás se les hubiera ocurrido decir que escribían *bien*. La autonomía de la literatura, la correlativa noción de estilo como valor al que el escritor se debe someter, nace en la Argentina como reacción frente al impacto de la inmigración. En este caso se trata del impacto de la inmigración sobre el lenguaje. Para las clases dominantes la inmigración viene a destruir muchas cosas ¿no? destruye nuestra identidad nacional, nuestros valores tradicionales, etc., etc. En la zona ligada a la literatura lo que se dice es que la inmigración destruye y corrompe la lengua nacional. En ese momento la literatura cambia de función en la Argentina; pasa a tener una función, digamos, *específica*. Una función que, sin dejar de ser ideológica y social, sólo la literatura como tal, sólo la literatura como actividad específica puede cumplir. La literatura, decían a cada rato y en todo lugar, tiene ahora una sagrada misión que cumplir: preservar y defender la pureza de la lengua nacional frente a la mezcla, el entrevero, la disgregación producida por los inmigrantes. Esta pasa a ser ahora la función ideológica de la literatura: mostrar cuál debe ser el modelo, el *buen uso* de la lengua nacional; el escritor pasa a ser el custodio de la pureza del lenguaje. En ese momento, hacia el 900 digamos, dijo Renzi, las clases dominantes delegan en sus escritores la función de imponer un modelo escrito de lo que debe ser la verdadera lengua nacional. El que viene a encarnar esta nueva función del escritor en la Argentina es Leopoldo Lugones. Lugones es el primer escritor argentino que, a diferencia de Sarmiento, Hernández, etc., cumple en la sociedad una función política exclusivamente como escritor. Es el poeta nacional, el guardián de la pureza del lenguaje. Hace un rato hablábamos con Tardewski sobre el estilo de este hombre, así que no vamos a insistir. Pero lo que hay que decir es esto: Lugones cumple un papel decisivo en la definición del estilo literario en la Argentina. Los textos de Lugones son el ejemplo de qué cosa es escribir bien; él cristaliza y define el paradigma de la escritura literaria. Para nosotros, decía Borges, vos te debés acordar Marconi, dice Renzi, para nosotros, se arrepiente ahora Borges, escribir bien quería decir escribir como Lugones. El estilo de Lugones se construye arduamente y con el diccionario, ha dicho también Borges. Es un estilo dedicado a borrar cualquier rastro del impacto, o mejor, de la mezcolanza que la inmigración produjo en la lengua nacional. Porque ese buen estilo le tiene horror a la mezcla. Arlt, está claro, trabaja en un sentido absolutamente opuesto. Por de pronto maneja lo que *queda* y se sedimenta en el lenguaje, trabaja con los restos, los fragmentos, la mezcla, o sea, trabaja con lo que realmente es una lengua nacional. No entiende el lenguaje como una unidad, como algo coherente y liso, sino como un conglomerado, una marea de jergas y de voces. Para Arlt la lengua nacional es el lugar donde conviven y se enfrentan distintos lenguajes, con sus registros y sus tonos. Y ese es el material sobre el cual construye su estilo. Este es el material que él transforma, que hace entrar en "la máquina polifacética", para citarlo, de su escritura. Arlt transforma, no reproduce. En Arlt no hay copia del habla. Arlt no sufría de esa ilusión que abunda entre los escritores que rodean a Borges, como Bioy, Peyrou, el primer Cortázar, que por un lado escribían "bien", pulcramente, con "elegancia", y por otro lado mostraban que podían transcribir y copiar el habla pintoresca de las clases "bajas". El estilo de Arlt es una masa en ebullición, una superficie contradictoria, donde *no* hay copia del habla, transcripción cruda de lo oral. Arlt entonces trabaja esa lengua atomizada, percibe que la lengua nacional no es unívoca, que son las clases dominantes las que imponen, desde la escuela, un manejo de la lengua como *el* manejo correcto; percibe que la lengua nacional es un conglomerado. Eso por un lado, dijo Renzi. Por otro lado, Arlt se zafa de la tradición del bilingüismo; está afuera de eso, Arlt lee traducciones. Si en todo el XIX y hasta Borges se encuentra la paradoja de una escritura nacional construida a partir de una escisión entre el español y el idioma en que se lee, que es siempre un idioma extranjero, basta ver la marca del galicismo en Sarmiento, en Cané, en Güiraldes para entender lo que quiero decir, Arlt no sufre ese desdoblamiento entre la lengua de la literatura que se lee en otro idioma y el lenguaje en el que se escribe: Arlt es un lector de traducciones y por lo tanto recibe la influencia extranjera ya tamizada y transformada por el pasaje de esas obras desde su lenguaje original al español. Arlt es el primero, por otro lado, que defiende la lectura de traducciones. Fijate lo que dice sobre Joyce en el Prólogo a *Los Lanzallamas* y vas a ver.

De allí que el modelo del estilo literario ¿dónde lo encuentra? Lo encuentra donde puede leer, esto es, en las traducciones españolas de Dostoievski, de Andreiev. Lo encuentra en el *estilo* de los pésimos traductores españoles, en las ediciones baratas de Tor. Y ése es el segundo material sobre el que se construye el estilo de Arlt: "jamelgo", "mozalbete", sus textos están llenos de eso, porque lo que los traductores españoles fijaban como cliché de traducción y como léxico, Arlt lo trabaja y lo transforma en materia prima de su escritura. Arlt viene entonces desde un lugar que es totalmente *otro* lugar de ese desde el cual se escribe "bien" y se hace "estilo" en la Argentina. No hay nada igual al estilo de Arlt; no hay nada tan transgresivo como el estilo de Roberto Arlt. Pero hay más, dijo Renzi, y ya termino. Ese estilo de Arlt, hecho de conglomerados, de restos, ese estilo alquímico, perverso, marginal, no es otra cosa que la transposición verbal, estilística, del *tema* de sus novelas. El estilo de Arlt es su ficción. Y la ficción de Arlt es su estilo: no hay una cosa sin la otra. Arlt escribe eso que cuenta: Arlt es su estilo, porque el estilo de Arlt está hecho, en el plano lingüístico, del mismo material con el que construye el tema de sus novelas. Por eso me dan risa los tipos que son condescendientes con él y dicen: Arlt es un gran escritor *a pesar* de su estilo; los tipos que piensan que cuando un escritor tiene *tanto* que decir, como se supone que tenía Arlt tanto para decir, la fuerza arrolladora de su "mundo interior" lo obliga a olvidarse de la forma. Esos son los que piensan que cuanto más "sincero", para usar una palabra que les gusta, es un escritor, cuantas más verdades tiene para decir, peor escribe; porque según ellos justamente el no preocuparse por la forma, el dejarse llevar, sería una muestra de su fuerza, de esa naturaleza arrolladora, etc. Arlt no tiene nada que ver con eso. Hay muchos escritores que escriben mal en ese sentido, pero Arlt no es de esa clase. La literatura de Arlt es una máquina que funciona toda ella con el mismo combustible. Pero en fin, dijo Renzi, para explicar qué significa Arlt en la literatura argentina habría que hablar una semana. Estoy decepcionado Renzi, dijo Marconi. Habíamos empezado tan bien. Por supuesto, si uno lee a Arlt como vos lo leés no puede leer a Borges. O puede leerlo de otro modo, dijo Renzi; leerlo, por ejemplo, desde Arlt. Mejor sí, dijo Marconi, mejor leer a Borges desde Arlt, porque si uno lee a Arlt desde Borges no queda nada. Aparte que la sola idea de imaginarme a Borges leyendo una página de Arlt me produce honda tristeza. No creo que el Viejo pueda resistir sin sufrir un ataque de catalepsia más de dos renglones de eso que vos denominás el estilo de Arlt. No creo, por lo demás, que Borges se haya tomado jamás el trabajo de leerlo, dijo Marconi. ¿De leer a Arlt?, dijo Renzi, no creas. No creas, dijo. Mirá, vos te debés acordar, estoy seguro, de ese cuento de *El informe de Brodie* que se llama "El indigno". Releélo, hacé el favor y vas a ver. Es *El juguete rabioso*. Quiero decir, dijo Renzi, una transposición típicamente borgeana, esto es, una miniatura del tema de *El juguete rabioso*. Joven fascinado por el mundo del delito que aparece encarnado, para él, en un marginal que lo inicia y al que admira y a quien, en el momento de pasar al otro lado, es decir, en el momento de abandonar el mundo, digamos, legal y convertirse él también en un delincuente, el protagonista delata. El núcleo temático es el mismo en los dos textos, dijo Renzi, y la delación es la clave en los dos textos. Ahora bien, dijo Renzi, el policía a quien el protagonista del cuento de Borges va a ver para delatar a su amigo se llama, en el relato de Borges, *Alt*. Sabés mejor que yo, sin duda, el significado que tienen los nombres en los textos de Borges, de modo que nadie me hará creer que ese apellido, con esa R que falta, letra inicial, diría yo, de otro nombre, con esa R justamente que falta, está puesto ahí por azar. Es como decir que Borges le puso porque sí Beatriz Viterbo a la mina de *El aleph* o que en ese cuento Daneri no es una contracción de Dante Alighieri. Ingenuos no, dijo Renzi; para ingenuos, según parece, alcanza con Arlt que, como todo el mundo dice, era un escritor *naif*. ¿Quién es entonces el indigno sino Roberto Arlt? El Gran

Indigno de la literatura argentina. ¿Y qué es ese cuento si no un homenaje de Borges al único escritor contemporáneo que siente a la par? Sabés mejor que yo, dijo Renzi. Parala, viejo, dijo de pronto Marconi, con eso de decidir cuáles son las cosas que yo sé. Escucho con atención y paciencia lo que vos decís que sabés, sobre lo que yo sé dejame opinar a mí, dijo Marconi. ¿Qué querés ahora, que nos agarremos a bollos? dijo Renzi. Bollos, copia del habla, dijo Marconi. Digamos trompis, dijo. Pero no, yo soy un tipo pacífico; desde que lo liquidaron a López Jordán los entrerrianos estamos totalmente pacificados y nuestros conflictos con los porteños pertenecen al pasado. Sencillamente, no me gusta esa retórica canchera que te hace empezar las frases con tus opiniones sobre lo que yo debo saber. ¿Y?, digo yo, ¿cómo sigue el asunto? Nada, dice Renzi, pienso que Borges escribe en términos de ficción sus homenajes y sus lecturas de la literatura argentina (y no sólo argentina, digamos entre paréntesis). Si uno quiere saber qué escritores valora Borges en la literatura argentina no hay que escuchar ni preocuparse por lo que *dice*, si no uno se encuentra con elogios a Mallea, a Carmen Gándara y a otros maestros por el estilo. Hay que mirar sobre quién ha escrito Borges su ficción, o mejor, a qué escritores argentinos usó como tema de sus relatos. Y Borges ha escrito ficciones sobre, enumeró Renzi: 1. José Hernández (Tadeo Isidoro Cruz, El fin y otro más en El hacedor, que no me acuerdo). 2. Sarmiento (Diálogo de muertos). 3. Groussac (Pierre Menard). 4. Lugones (el texto que abre El hacedor). 5. Roberto Arlt, el cuento este que digo. Eso es para Borges lo único que vale, los únicos nombres que valen en la historia de la literatura argentina. ¿Y entonces, Marconi?, dijo Renzi. ¿No estás de acuerdo? ¿O todavía te sigue la mufa? No, dijo Marconi, soy un hombre de odios y pasiones pasajeras. ¿Y estás de acuerdo? No, claro que no, dijo Marconi. Demasiado sofisticado para mi gusto. Pero en fin, dijo, para seguir cumpliendo mi papel de anfitrión amable, suponete que nos ponemos de acuerdo en dejar de lado a Borges, escritor del siglo XIX, etc.; suponete entonces que nos ponemos de acuerdo en dejar de lado a Borges que es más o menos lo mismo que ponernos de acuerdo en dejar de lado el río y de un modo que no vacilaré en llamar platónico nos decidimos a cruzar al Uruguay de a pie, como si no hubiera agua. Dejando entonces a Borges de lado gracias a esta modesta operación filosófica digna del obispo Berkeley, para citar uno de los que cita el tipo que estamos dejando de lado, lo ponemos a un costado a Borges, dijo Marconi, como Berkeley a la realidad sensible y ¿entonces? pregunta retórica destinada a obtener una respuesta del joven escritor capitalino que nos visita, y ¿entonces? Entonces, dice Renzi, partimos de ese supuesto, Borges es un escritor del XIX, cierra, clausura, etc., etc. Arlt, por su lado, murió en 1942. ¿Quién sería, pregunto yo ahora, dijo Renzi, el escritor actual que podríamos considerar para decidir que la literatura argentina no ha muerto? Hay muchos, dijo Marconi. ¿Por ejemplo? dice Renzi. Qué sé yo. Por ejemplo Mujica Lainez. *¿Quién?* dijo Renzi. Mujica Lainez, dijo Marconi. Es una cruza, dijo Renzi. Mujica Lainez es una cruza. Una cruza en el sentido que este término tiene en el cuento de Kafka titulado precisamente *Una cruza*. Una cruza, dijo Renzi, eso es Mujica Lainez. De Hugo Wast y de Enrique Larreta. Eso es Mujica Lainez, dijo Renzi. Una mezcla tilinga de Hugo Wast y de Enrique Larreta. Escribe best sellers "refinados" para que los lea Nacha Regules. Por otra parte, y sin ánimo de ser rencoroso, para volver al asunto del estilo, dijo Renzi, es evidente que hay más estilo en *una* página de Arlt que en todo Mujica Lainez. ¿Terminaste? dijo Marconi. Terminé, dijo Renzi. ¿Alguna otra de esas evidencias por el estilo? dijo Marconi. Por el momento no, dijo Renzi. Bien, dijo Marconi; no estoy de acuerdo. Lo siento en el alma, dijo Renzi. Tus evidencias, dijo Marconi, lo dejan chiquito a Santo Tomás. ¿Era Santo Tomás o San Agustín, Volodia? me dice Marconi ¿El de las evidencias? le digo. Santo Tomás. Bueno, dijo Marconi, al lado de Renzi, Santo Tomás es un poroto, en lo que respecta, por lo menos, al asunto de las evidencias. De todos modos, dijo Marconi, pedante y todo, se ve que sos un tipo simpático. ¿Cuándo te vas? No sé todavía, dijo Renzi. Está esperando al Profesor, digo yo. ¿Al Profesor? dice Marconi; me parece que me lo crucé hace un rato, en la Plaza. Venía de Salto Uruguayo, creo. ¿A Marcelo? dice Renzi. Casi seguro era él, dijo Marconi, No es lo que se dice una evidencia, más bien una impresión en medio de la oscuridad. Porque si no te vas, dijo, sería bárbaro que armáramos algo, qué sé yo, una mesa redonda, una reunión, cualquier cosa en la Biblioteca ¿eh Volodia?, cosa de poder discutir todo este asunto con la gente y mover el avispero. Podría ser, dijo Renzi, si me quedo no hay problema. ¿Sería Marcelo? me pregunta Renzi. Puede ser, digo yo. Ahora vamos para el Hotel, si llegó debe estar allí. Yo me voy, che, dijo Marconi, ya se me hizo tardísimo. ¿Ya te vas? dijo Renzi. ¿No querés venir con nosotros hasta el Hotel? No, dice Marconi, la verdad, se me hace tarde, tengo que pasar por el diario todavía y escribir una nota de 36 líneas sobre la última novela de Nabokov. ¿Trabajás en el diario? dijo Renzi. Bueno, trabajar es un decir, dijo Marconi. Pero aparte de eso ¿qué hacés? ¿Yo? dijo Marconi, nada. Leo a Borges y escribo sonetos. ¿Sonetos? dijo Renzi. Y sí, dijo Marconi, acá en la provincia todo nos llega con atraso. Ya ves, nosotros todavía seguimos pensando que Arlt escribe como el orto. No son los únicos, dice Renzi, hay tipos que viven en Nueva York, en París y en otras metrópolis por el estilo y sin embargo piensan lo mismo. ¿Así que escribís sonetos? dijo Renzi. Sí, dijo Marconi, quiero ver si me puedo convertir en el Enrique Banchs del Litoral. Sabés qué pasa, dijo, nosotros acá no manejamos el código. ¿Código? dijiste ¿no? No me cargues, dijo Renzi. No te cargo, dijo Marconi, acá somos así, aguerridos pero nada rencorosos. Che ¿y en Buenos Aires todavía siguen jodiendo con la lingüística? Menos, dijo Renzi. Ahora la onda es el psicoanálisis. No ves, dijo Marconi, tengo que viajar más seguido a la capital. Acá me desactualizo. En Concordia recién termina de popularizarse la lingüística y parece que ya estamos atrasados. ¿Popularizarse? dijo Renzi. La lingüística, dijo Marconi. Si te cuento lo que me contó hoy Antuñano, me dice, Renzi se va a dar cuenta de la receptividad del interior. ¿Sabés que por acá todavía hay gauchos? dijo Marconi. Vi uno, sí, dijo Renzi, hoy a la mañana, cuando bajé del tren, con bombacha bataraza y chambergo. Pensé que era un policía disfrazado. No, dijo Marconi, seguro era un gaucho. Acá sólo, por la zona de Concordia, hay cerca de doscientos cincuenta. Por eso aquí la gauchesca todavía persiste, dijo Marconi, pero no sin sufrir, también ella, el impacto de la lingüística. ¿La gauchesca? dijo Renzi. La gauchesca y los paisanos mesmos, dijo Marconi. Al menos si es cierto lo que me contó hoy Antuñano. Te transcribo, dijo, así llevás a Buenos Aires el folklore vivo de la patria. *Hjelmslev entre los gauderios entrerrianos o un ejemplo de gauchesca semiológica,* anunció Marconi, según relato de Antuñano, testigo presencial y relator del hecho acaecido en la pulpería *La colorada,* de su propiedad, ubicada entre Ubajav y Derrida, a 70 kilómetros de la capital de la provincia. Una tarde, dijo Marconi que le había contado Antuñano, una tarde varios gauchos en la pulpería conversan sobre temas de escritura y fonética. El santiagueño Albarracín no sabe leer ni escribir, pero supone que Cabrera ignora su analfabetismo; afirma que la palabra *trara* no puede escribirse. Crisanto Cabrera, también analfabeto, sostiene que todo lo que se habla puede ser escrito. Pago la copa para todos, le dice al santiagueño, si escribe trara. Se la juego, contesta Cabrera; saca el cuchillo y con la punta traza unos garabatos en el piso de tierra. De atrás se asoma el viejo Alvarez, mira el suelo y sentencia: Clarito, trara. Buenísimo, dice Renzi. Es buenísimo, che, le dice a Marconi. ¿Por qué no te dejás de joder con los sonetos y te dedicás a pintar tu aldea? Bueno, dijo Marconi, por el momento estoy tratando de escribir sonetos en lengua gauchesca. Quiero integrar, en realidad, el lenguaje de Hilario Ascasubi y la forma soneto tal como fue fijada por Stéphane Mallarmé. En ese intento, ya ves, soy borgeano.

Para mejor, dijo Marconi, anoche soñé un poema. En serio. Vinieron unos amigos a comer a casa, trajeron un vino chileno increíble y nos bajamos como seis botellas; después me fui a dormir y a la madrugada me desperté con el poema en la cabeza. Lo anoté tal cual lo había soñado; ahí va, dijo.

Soy
el equilibrista que
en el aire camina
descalzo
sobre un alambre
de púas

recitó Marconi el poema que había soñado. No será un soneto, pero lo soñé, sin joda. Es una especie de *haiku* ¿no? Demasiado narrativo, dijo, nada del otro mundo la verdad, pero lo soñé yo. Mirá si al final me pasa como a Coleridge. Lo que en el sueño no salió fue el título, dijo. Ponele: *Retrato del artista*, dijo Renzi. No, dijo Marconi, se trata de eso por ahí, pero ese título es demasiado explícito. En un poema que trata sobre el artista, la palabra artista no tiene que aparecer y menos en el título. ¿Es una ley o no es una ley? En literatura, dijo, lo más importante nunca deber ser nombrado. Epigrama, dijo, que sirve de final a esta larga sesión o payada intelectual. Me voy, en serio, dijo, ya se me ha hecho tardísimo hasta para escribir sobre Nabokov, dijo Marconi y empezó a despedirse.

Tipo increíble, dijo Renzi. Personaje local, le digo, como todos acá. Eso es lo que tiene de bueno vivir en un pueblo: todos somos personajes importantes. Quedó loco con esa teoría, le digo a Renzi. Mañana la va a empezar a repetir como si fuera de él. No estaría mal, dijo Renzi. Vamos yendo, le digo. ¿Sería Marcelo el tipo que vio? me dice él. A lo mejor, le digo. No parece muy convencido, me dice. Sí ¿por qué no? De todos modos ahora vemos. Salimos por acá, le digo. Este Club era una de las casas de verano de

Urquiza. Le gustaban los espejos, dice Renzi. Extraño este pasillo. ¿Se sale por aquí? dice. No, mejor por este lado, le digo, así salimos al Bulevar. Está bastante fresco, dice Renzi. ¿Vamos caminando? Sí, le digo, es cerca, por acá se va derecho al Hotel, serán diez cuadras. De paso le muestro la ciudad. Aunque ya anduvo paseando hoy a la tarde. Todo se sabe en estos lugares, como se puede imaginar, le digo. Bueno, no todo, dice Renzi. Cierto, no todo. Me gustan estos pueblos de la costa, dice Renzi, tienen como un aire melancólico. ¿Y ese edificio? dice Renzi. La cárcel, le digo. Recién, le digo, cuando lo escuchaba hablar con Marconi. Me pasé un poco, dice Renzi, de golpe me embalé, demasiada ginebra. No, le digo, al contrario; pero yo lo escuchaba hablar y me acordaba de su tío. Son muy parecidos, en el fondo, le digo. Todos me dicen eso, hoy, dice Renzi. Yo aprendí de él, dice, en un sentido difícil de explicar. Nos escribimos durante casi un año y recién ahora me doy cuenta de que fue como si él hubiera querido explicarme algo. Marcelo tiene una especie de tendencia innata a la pedagogía, me dice. Es un tipo muy divertido ¿no? dijo Renzi. Lo más increíble es que yo no lo conozco; personalmente digo. Nunca hablé con él, nunca lo vi. El venía a casa cuando yo era recién nacido pero después dejó de venir y entonces yo oía hablar de él, pero nunca lo vi. Ahora estoy acá y vamos a verlo, pero tampoco sabemos si lo vamos a encontrar. Cuanto más lo pienso, dice, más increíble me parece. El me hablaba siempre de usted, le digo, a veces me leía parte de sus cartas. Se divertía como loco con esas discusiones que tenían, le digo. Emilio, me dijo, me acuerdo, una noche, Emilio piensa que lo único que existe en el mundo es la literatura, cuando se le pase, y espero estar para ver ese momento, me decía el Profesor, le digo a Renzi, recién entonces se va a poder sacar de encima toda la mierda de la familia. No entiendo, me dice Renzi. Yo tampoco, le digo, pero eso fue lo que dijo.

Después Renzi me dijo otra vez que le parecía increíble que yo lo hubiera conocido a Joyce. Bueno conocer, lo que se dice conocer, le digo. Lo vi un par de veces, en Zurich. Hablaba poco, casi nada; venía a un bar donde se jugaba al ajedrez y se ponía a leer un diario irlandés que los tipos recibían, se sentaba en un rincón y empezaban a leerlo con una lupa, el papel casi pegado a la cara, recorriendo las páginas con un solo ojo, el ojo izquierdo. Se estaba horas ahí, tomando cerveza y leyendo el diario de punta a punta, incluso los avisos, las necrológicas, todo; cada tanto se reía solo, con una risita de lo más curiosa, una especie de susurro más que una risa. Una vez me preguntó cómo se decía "mariposa" en polaco, creo que fue la única vez que me habló directamente. Otra vez lo escuché tener un cambio de palabras con un tipo, con un francés que le dijo que el *Ulises* le parecía un libro trivial. Sí, dijo Joyce. Es un poco trivial y también un poco cuatrivial. ¿En serio? dice Renzi. Genial. El que lo visitó fue un amigo, Arno Schmidt, un crítico notablemente sagaz que después murió en la guerra. Una tarde se animó a preguntarle si lo podía visitar. ¿Y para qué? le preguntó Joyce. Bueno, dijo Arno, admiro muchísimo sus libros, Mr. Joyce, me gustaría, en fin, me gustaría hablar con usted. Venga mañana a las cinco, a mi casa, le dijo Joyce. Arno se pasó la noche preparando una especie de cuestionario, anotando preguntas, estaba nerviosísimo, como si tuviera que ir a dar un examen. Mejor crucemos, le digo a Renzi. Joyce mismo le abrió la puerta, la casa estaba como desmantelada, casi no tenía muebles, en la cocina estaba Nora friendo un riñón a la sartén y Lucía se miraba los dientes en un espejo; cruzaron un corredor larguísimo y después Joyce se tiró en una silla. Fue un infierno. Arno le empezó a repetir que admiraba muchísimo su obra, que el procedimiento de las epifanías era el primer paso adelante en la técnica del cuento desde Chejov, ese tipo de cosas, y en un momento dado le dijo que Stephen Dedalus le parecía un personaje de la estatura de Hamlet. ¿De la estatura de quién? lo cortó Joyce. ¿Qué quiere decir con eso? Probablemente Hamlet era petiso y gordo, le dice, como eran gordos y petisos todos los ingleses en el siglo

XVI. Stephen en cambio mide un metro setenta y ocho, le dijo Joyce. No, dijo Arno, quiero decir un personaje del nivel de Hamlet, él mismo una especie de Hamlet. Cierto, dice Renzi. Es una especie de Hamlet jesuítico. Y es cierto también, me dice Renzi, que hay como una continuidad: el joven esteta ¿no? que no hace más que vivir en medio de sus sueños y que en lugar de escribir se la pasa exponiendo sus teorías, dice Renzi. Yo veo como una línea, dice, digamos Hamlet, Stephen Dedalus, Quentin Compson. Quentin Compson, explicó Renzi, el personaje de Faulkner. Bueno, le digo, Arno le decía eso y supongo que también algunas otras cosas y Joyce no decía nada. Lo miraba y de vez en cuando se pasaba una mano blanda por la cara, así. Este es el Bulevar, le digo, pasamos la Plaza y estamos en el Hotel. ¿Y entonces? dice Renzi. Entonces Arno le empieza a hacer preguntas más directas, quiero decir preguntas que había que contestar. Por ejemplo: Le gusta Swift, qué opina de Sterne, ha leído a Freud, ese tipo de cosas y Joyce le contestaba sí o no y se quedaba callado. Me acuerdo un diálogo, creo que es uno de los pocos diálogos que tuvieron durante toda la conversación. Arno lo contaba con mucha gracia. ¿Qué opina usted de Gertrude Stein, Mr. Joyce? le dice Arno. ¿De quién? dice Joyce. De Gertrude Stein, la escritora norteamericana, ¿conoce su obra? le dice Arno, y Joyce se estuvo inmóvil durante un momento interminable hasta que al final le dice: ¿A quién se le puede ocurrir llamarse Gertrude? le dijo. En Irlanda ese nombre se lo ponemos a la vacas, le dice Joyce y después se quedó mudo durante los siguientes quince minutos, con lo que se terminó la entrevista. Le importaba un carajo el mundo, dice Renzi. A Joyce. Le importaba un carajo del mundo y de sus alrededores. Y en el fondo tenía razón. ¿A usted le gusta su obra? le digo. ¿La obra de Joyce? No creo que se pueda nombrar a ningún otro escritor en este siglo, me dice. Bueno, le digo, no le parece que era un poco ¿cómo le diré? ¿no le parece que era un poco exageradamente realista? ¿Realista? dice Renzi. ¿Realista? Sin duda. Pero ¿qué es el realismo? dijo. Una representación interpretada de la realidad, eso es el realismo, dijo Renzi. En el fondo, dijo después, Joyce se planteó un solo problema: ¿Cómo narrar los hechos reales? ¿Los hechos qué? le digo. Los hechos reales, me dice Renzi. Ah, le digo, había entendido los hechos morales. Bueno, le digo, ahí enfrente está el Hotel. ¿Y cómo se dice "mariposa" en polaco? me pregunta Renzi; pero antes que me olvide, dice, ¿dónde puedo comprar cigarrillos? Acá, le digo, en este Bar. Si quiere yo tengo, le digo. No, mejor compro, dice él.

Yo estoy matando el tiempo con el viejo Troy, justo en la esquina, está diciendo un tipo parado frente al mostrador del Bar. Estoy ahí lo más choto, acá González no me va a dejar mentir; estoy ahí, el viejo Troy, Gonzalito ¿eh? estamos los tres; me dice Troy, el viejo Troy va y me dice, Che Cholo, me dijo, juná quién viene. Yo estoy, un supongamos, parado ahí, como si ésta fuera propiamente la esquina, este vaso soy yo, aquí el viejo Troy ¿eh, Gonzalito? Correcto, dice Gonzalito. Juná, Cholo, me dice Troy, juná quién viene, dijo el tipo que estaba parado frente el mostrador. Cigarrillos, dice Renzi. Casi me caigo de culo, miro hacia el lado del tallercito, lo veo a Goñi propiamente, que se aprosima, empilchado como un duque. Gonzalito ¿es así no? Correcto, dice Gonzalito. Yo siempre digo que en este mundo los turros y los colifas andan sueltos, dice el tipo que está parado frente al mostrador. Siempre lo digo, dice, pero cuando lo veo a Goñi casi me caigo de culo. Cholo, me dijo Troy, no hagás macanas, me dice, no seas chauchón. Pero lo ves o no, le digo, al piantado ese, lo ves o no, le digo. Lo veo, me dice. Al Triste, libre como una paloma, lo ves; pero yo digo, le digo a Troy, ¿está todo al revés? Teikerisi Cholo, me dice Troy. Pero no, viejo, le digo, qué teikerisi ni qué carajo no puede ser, mirá mirá, le digo. Miro, me dice Troy. ¿Lo ves? todo empilchado. Algo anda mal, le digo a Troy, acá hay algo que anda para la mierda. ¿O ustedes no saben que de un viaje liquidó a cinco de sus hermanos, el Triste Goñi? Los limpió a los cinco, de un viaje, con una aguja de colchonero, y ahora resulta que los fue liquidando uno por uno, a los cinco, mientras apoliyaban, con un alfiletazo, chas, el Triste, como quien diría una incisión, acá, en el pescuezo, justo acá, chas, en la tráquea, acá, ¿ven? en el gañote, tocate ahí González ¿ves que hay como un pocito?, dice el tipo que está parado frente al mostrador. Colorado corto, dice Renzi. ¿Ves que hay como un pocito?, dice el tipo. Correcto, dice González. Uno hace una incisión ahí y chau, si te he visto no me acuerdo; la vida se para en seco. Y el degenerado ese, el petiso Goñi, empilchado de punta en blanco, los ojitos acá, sobre la nariz, que encima es medio virola, lo veo venir, vestido como un duque, lo veo, no lo puedo creer. Juná, pero juná, le digo a Troy. Tranquilo Cholo, me dice el viejo. Quedate piola, me dice cuando ve que se me sube la mostaza. Pero ¿cómo? Los limpió a todos de un viaje, chas, con la aguja de colchonero mientras estaban de apoliyo, a todos sus propios hermanos, pero yo digo ¿en qué país vivimos? uno atrás del otro, en la tráquea, cómo sería el mambo que tiene en la cabeza este turro que el hermanito más chico se salvó ¿sabés por qué se salvó el hermanito más chico, González? dice el tipo. No, dice González. Fijensé cómo será de rayado, que al hermanito más chico agarra y lo manda a la terminal de colectivo a comprarle un boleto a Baradero. Le dijo, le dice: Andá y me comprás un pasaje a Baradero. Ida sola, le dice. A Baradero, date cuenta un poco: ¿Y saben por qué? Porque pensaba que Baradero quedaba fuera de la circuncisión de la policía federal y pensaba quedarse ahí, en Baradero, hasta que pasara el espamento. ¿Y entonces qué pasa? dice el tipo parado frente al mostrador. El niño Goñi, el hermano más chico, sale a los rajes, y enfila para la comisería, meta y ponga, porque de inmediato se malicia que se viene algo jodido, el chico, se malicia, que no era ningún tarado, te voy a decir, tenía siete ocho años en ese entonces, ahora labura de camionero, hace la ruta Santa Fe – Resistencia, Chaco – Santa Fe ¿es así o no, Gonzalito? dice el tipo. Correcto, dice Gonzalito. Ve la cara como de alegría que tiene el Triste, el pibe, y enseguida se da cuenta que va a pasar algo fulero, pero cuando vuelve a los piques con toda la policía, ya es tarde. Chas, la tráquea, listo, de un viaje. Los cinco hermanitos Goñi desparramados en el patio, todos en fila, en el patio, los cinco, fiambre fiambre, dice el tipo. ¿Colorado corto? dice el que atiende el Bar. Sí, dice Renzi, un atado. Un espetáculo que te la voglio dire, dijo el tipo, otra que la masacre de San Quintín; desparramados abajo la parra, cada uno de los hermanos, escuchen bien lo que voy a decir ¿eh? cada uno de los hermanos con un redondelito rojo en el gañote, como si llevaran un alfiler de corbata, un suponer, un alfiler de corbata que tuviera de adorno un rubí. ¿Un qué? preguntó un tipo sentado en una mesa cerca de la puerta. Un rubí, hablando en sentido figurado, dice el tipo que está parado frente al mostrador. Un punto rojo en el pescuezo, propio en este pocito, en la tráquea, ahí les hundió la aguja. Qué espectáculo, me cago en Dios, dice el tipo. Sus propios hermanos, en bolas, los cinco desparramados ahí, en el patio, en pelotas, los cinco, porque los agarró durmiendo, y el petiso Goñi sentado en un banquito, de traje y sombrero, esperando que el pibe le trajera el boleto a Baradero. ¿Se dan cuenta un poco? Y resulta que hoy, estamos en la esquina ¿eh Gonzalito? Juná, me dice Troy, y el degenerado ese que se aprosima, caminando tranquilamente, todo empilchado, dice el tipo. Acá tiene, dice el que atiende el Bar. Gracias, dice Renzi. Me dio una cosa, vi todo amarillo, te lo juro por la luz que me alumbra, todo amarillo vi. Le digo a Gonzalito. Che, Gonzalito, le digo ¿y ahora qué hacemos? ¿es así o no? Gonzalito. Correcto, dice Gonzalito. ¿Vamos? le digo a Renzi. Pero mirá ese cabrón, le digo, te dije o no te dije que en este país si sos turro, pero turro turro ¿eh? no más o menos, turro lo que se dice turro, le digo, al final la pasás como un duque. Dijiste, me dice Troy. Va a pasar propiamente acá mismo, dice el tipo que está parado frente al mostrador del Bar. Propio propio acá mismo ¿y nosotros? ¿qué vamos a hacer? le digo a Troy. Sí, vamos, me dijo Renzi. Parecía indignado el hombre, me dice. Propiamente, le digo. Justo para Marconi, me dice Renzi. Cuidado al cruzar, le digo, que el Bulevar tiene doble mano. ¿Y entonces? me dice Renzi, ¿cómo se decía "mariposa" en polaco? Alaika, le digo. Se dice alaika. Este es el Hotel, le digo. Acá es donde vive el Profesor.

2

El Hotel parecía haber sido construido hacia el 900. Tenía un frente de mármol negro con ventanales que daban sobre la plaza. Por acá, me dice Tardewski. Primero vamos a pasar por la recepción. ¿No sabe si regresó el Profesor Maggi? pregunta Tardewski. El recepcionista dice que recién ha tomado el turno, pero quizás alguien ha vuelto, dice, porque la llave no está en el tablero. Vamos a subir, entonces, dice Tardewski. Es muy posible que si volvió lo encontremos durmiendo, dice, quizás ni sabe que usted ha venido. Golpeamos la puerta de una habitación en el cuarto piso; como nadie contesta y la puerta está sin llave, entramos. La pieza está vacía. Sería cómico, me dice Tardewski, que nos estuviera buscando en el Club. Dice que lo mejor va a ser hablar por teléfono y preguntar si está ahí. Desde los ventanales del cuarto, que es amplio, se ve el río, al fondo, entre los sauces. Hay un escritorio contra la pared. Una cama. Un ropero. Un sillón. Algunos libros sobre una repisa. Me acerco y miro los títulos mientras Tardewski habla por teléfono al Club y deja dicho que si el Profesor va por ahí le digan que estamos en su casa. De pie frente al estante, leo: *Vida de Juan Manuel de Rosas a través de su correspondencia* de Irazusta. *Los antecedentes europeos de Pedro de Angelis* de Ignacio Weiss. *La vida cotidiana en Estados Unidos (1830-1860)* de Robert Lacour. *Alberdi y su tiempo* de Mayer. *Nacionalismo y liberalismo* de José Carlos Chiaramonte. *Alejandro Dumas, Rosas y Montevideo* de Jacques Duprey. *Revolución y guerra* de Tulio Halperın.

Después me acerco al escritorio que está limpio, quiero decir, no hay nada sobre él, salvo una lata de té *Mazawattee*, vacía, usada para guardar lápices, un marcador rojo, una regla, una goma de borrar, un broche de metal; en un costado de la mesa hay un anotador donde se lee: *Llamar a Angela (Lunes)* y después algo escrito a lápiz y tachado con el marcador rojo. Sólo se distingue con claridad la palabra *seminario* y después otra, casi ilegible, que puede ser *proyecto* o *proceso* o quizás *prócer*. En el centro de la hoja hay varios triángulos, círculos y otras figuras geométricas dibujadas con lápiz y una cuenta, al menos una serie de números, encolumnados, sobre la izquierda del papel, abajo:

6.750
12.800
17.300
8.970
22.500

Abro uno de los cajones del escritorio. En realidad el Profesor trabaja siempre en la Biblioteca, me dice Tardewski. En la Biblioteca o en el Archivo provincial. En el cajón hay varios recortes de diarios, en especial noticias del diario *La Prensa* y del *Buenos Aires Herald* de cinco semanas atrás, unidos con ganchitos de alambre y una caja de pastillas para el hígado (*Novo-prohepat*) y varias tiras de aspirinas y un boleto de ómnibus *Paraná-Santa Fe*, de la línea *El cóndor*, del mes pasado. Mejor bajamos, me dice Tardewski, y vamos hasta casa. Abro el otro cajón: hay una foto enmarcada. Es una fotografía de Marcelo, joven, sentado en un bar al aire libre en la Rambla de Mar del Plata junto a una mujer que parece ser la Coca. Como quiera, le digo a Tardewski. Dejé dicho en el Club que estaremos en mi casa y ahora le escribimos una nota por si viene acá, dice. En la pieza hay un solo cuadro, en la pared de la izquierda. En realidad no es un cuadro, sino la tapa de una revista, recortada y pegada sobre cartulina blanca, donde se ve una gran multitud en una escena que, estoy casi seguro, corresponde al entierro de Hipólito Yrigoyen. Me acerco al ropero; por la luna del espejo veo que Tardewski se ha sentado en el escritorio, ha tomado un lápiz de la lata de té *Mazawattee* y después de arrancar la primera hoja del anotador se ha puesto a escribir. No veo qué ha hecho con la primera hoja del anotador. Quizás la ha tirado, pero el piso sin embargo está limpio. El ropero también está vacío, salvo un traje de verano, blanco, que cuelga de una percha y un par de alpargatas, muy gastadas, en uno de los estantes de abajo. Bueno, dice Tardewski, podemos ir. *Profesor Maggi*, ha escrito Tardewski, *su sobrino Emilio y yo lo hemos estado buscando. Son las doce y media (0.30). Estaremos en casa hasta la hora en que sale el tren de la mañana a la Capital. Lo esperamos, Volodia*. Vamos a dejar la nota aquí, no puede dejar de verla, dice.

Bajamos y también en la recepción del Hotel dejamos dicho que si el Profesor Maggi vuelve, a cualquier hora que sea, le avisen que lo esperamos en la casa de Tardewski. El recepcionista de la noche nos escucha con expresión sorprendida y después asiente, pero no toma nota. Sólo dice: Está bien, señor, y nos repite que su turno termina a las seis de la mañana. Parecía no entender bien, le digo a Tardewski. Medio dormido, el pobre, dice Tardewski.

Volvemos a cruzar la Plaza y tomamos el Bulevar costeando el río. Tardewski me habla de las obras de Salto Grande; me dice que mucha gente de la costa está siendo desalojada. Toda esa parte de allá, me dice y me señala un costado del río, va a ser barrida por la represa. De todos modos para mí la naturaleza ya no existe, me dice ahora y comienza a exponerme su teoría sobre el carácter artificial de eso que llamamos naturaleza, que en realidad Marcelo ya me ha contado en una de sus cartas.

Cuando yo llegué acá, en el año '45, me está diciendo, todo esto era un páramo. Había estado viviendo unos años en Buenos Aires, dijo, recién llegado de Europa, trabajando en el Banco Polaco y después lo trasladaron a la sucursal de Concordia que recién había sido inaugurada. Mientras nos acercábamos a su casa me fue contando parte de su vida. Había nacido en Varsovia, pero a los 23 años, dijo, se radicó en Inglaterra para preparar un doctorado en filosofía, dirigido por Wittgenstein, en Cambridge. La guerra lo sorprendió en Varsovia, dijo, donde había ido a pasar las vacaciones de verano. Conseguí escapar en medio de la desbandada del ejército polaco y, después de cruzar media Europa, embarcamos en Marsella en el último buque que cruzó el océano antes que la guerra submarina interrumpiera el tráfico. En su juventud, dijo, jamás se le hubiera ocurrido imaginar que iba a pasar cuarenta años en este rincón del mundo. A veces, dijo, se le daba por pensar qué hubiera sido de su vida de haberse quedado en Europa o de haber regresado al final de la guerra. Quizás hubiese muerto en un campo de concentración o quizás, dijo, de haber seguido en Londres sin la ocurrencia de irse a veranear a Varsovia justo en agosto de 1939 y en caso de haber sobrevivido a los bombardeos, tal vez, en ese caso, dijo, hubiera terminado mi doctorado y hoy sería profesor de filosofía en alguna universidad inglesa o norteamericana. Más de una vez, dijo, había reflexionado sobre su vida, sobre el azar que había tejido su destino. Hablábamos de eso mientras costeábamos el río, a lo largo del Bulevar y yo veía, a lo lejos, titilar las luces de la costa uruguaya. En un sentido, me dijo Tardewski, se puede decir de mí que soy un fracasado. Y sin embargo cuando pienso en mi juventud estoy seguro de que eso era lo que yo en realidad buscaba. En aquella época, mientras estudiaba en Cambridge, dijo, bebía muchísimo. Digamos, dijo, que bebía mucho más que ahora. Me emborrachaba por lo menos dos veces a la semana, y al regresar ebrio a casa, leía los *Pensamientos* de Pascal, el libro de cabecera de mis borracheras. Dijo que de un modo consciente y clandestino oponía sus lecturas alcohólicas de Pascal a la enseñanza luminosa de Wittgenstein. Veía en ese libro fragmentario, hecho de borradores y de ideas anotadas y a medio pensar, el mayor monumento que inteligencia alguna hubiera construido en honor del fracaso.

En su caso personal, dijo que veía con claridad que

esa fascinación por el fracaso era algo que se remontaba a su juventud, a sus años en Varsovia, anteriores, por supuesto, a sus lecturas alcohólicas de los *Pensamientos* de Pascal en Cambridge. Sentía inclinación por lo que uno llama tipos fracasados, dijo. Pero ¿qué es, dijo, un fracasado? Un hombre que no tiene quizás todos los dones, pero sí muchos, incluso bastantes más que los comunes en ciertos hombres de éxito. Tiene esos dones, dijo, y no los explota. Los destruye. De modo, dijo, que en realidad destruye su vida. Debo confesar, dijo Tardewski, que me fascinaban. Todos esos fracasados que circulan especialmente en los alrededores de los ambientes intelectuales, siempre con proyectos y libros por escribir, lo fascinaban, dijo. Hay muchos, dijo, en todos lados, pero algunos de ellos son hombres muy interesantes, sobre todo cuando han empezado a envejecer y se conocen bien a sí mismos. Yo acudía a ellos dijo, en aquellos años de mi juventud, como uno se acerca a los sabios. Había un tipo, por ejemplo, con el que me veía muy a menudo. En Polonia. Este hombre se había eternizado en la Universidad, sin decidirse nunca a rendir los exámenes que le faltaban para terminar su carrera. De hecho había abandonado la Universidad poco antes de obtener su diploma en matemáticas y después había dejado plantada a su novia el día de la boda. No veía ningún mérito especial en realizar nada. Una noche, me dice Tardewski, estábamos juntos y nos presentan a una mujer que me entusiasma, que me gusta muchísimo. Al observar esto me dice: Ah, ¿cómo? ¿es que no le ha mirado usted la oreja derecha? ¿La oreja derecha? Le contesto: Está usted loco, no me interesa. Pero vamos, fíjese, me dijo, cuenta Tardewski. Fíjese. Mire. Al final me las arreglo para ver lo que tenía detrás de la oreja. Tenía una verruga infame, en fin, una verruga. Todo se derrumbó. Una verruga. ¿Se da cuenta? El tipo era el demonio. Su función era sabotear el ímpetu de los demás. Era un gran conocedor de los hombres. Tardewski dijo que en su juventud se había interesado mucho por gente así, por gente, dijo, que siempre estaba como mirando en exceso.

Se trataba de eso, dijo, en el fondo, de un modo particular de ver. Hay un término ruso, usted debe conocerlo, me dice, ya que por lo que he sabido le interesan los formalistas, el término, en fin, es *ostranenie*. Sí, le digo, me interesa, claro, pienso que es de ahí de donde Brecht tomó el concepto de distanciamiento. No había pensado en eso, me dice Tardewski. Brecht conoció bien la teoría de los formalistas y toda la experencia de la vanguardia rusa de los años '20, le digo, a través de Sergio Tretiakov, un tipo realmente notable; fue él quien inventó la teoría de la *literatura fakta*, es decir, eso que después ha circulado mucho, la literatura debe trabajar con el documento crudo, con el montaje de textos, con el testimonio directo, con la técnica del reportaje. La ficción, decía Tretiakov, le digo a Tardewski, es el opio de los pueblos. Era muy amigo de Brecht y a través de él fue como conoció, sin duda, el concepto de *ostranenie*. Interesante, dijo Tardewski. Pero retomando lo que le decía, esa forma de mirar afuera, a distancia, en otro lugar y poder así ver la realidad más allá del velo de los hábitos, de las costumbres. Paradójicamente es al mismo tiempo la mirada del turista, pero también, en última instancia, la mirada del filósofo. Quiero decir, dijo, que en definitiva la filosofía no es más que eso. Se constituye así, digamos desde Sócrates. *¿Qué es esto?* ¿No? La pregunta de Sócrates. Un fracasado, no todos, claro, cierta clase especial de fracasado ven todo, continuamente, con ese tipo de mirada. Esa lucidez aberrante, por supuesto, los hunde todavía más en el fracaso. Me interesé mucho por gente así, en los años de mi juventud. Tenían para mí un encanto demoníaco. Estaba convencido de que esos individuos eran los que ejercían, dijo, la verdadera función de conocimiento que siempre es destructiva. Pero ya estamos en casa, dice ahora Tardewski y se adelanta para abrir el portón de entrada.

La casa era baja y blanca, de una sola planta, y me hizo pensar, no sé por qué, en una pajarera. Cruzamos un jardín muy bien cuidado y Tardewski tardó un rato en poder abrir la puerta de entrada. Pase, por favor, dijo, después. Podemos sentarnos aquí, dijo y me señaló unos sillones enfrentados en medio de una sala casi vacía. Tengo, creo, un poco de vino blanco en la heladera.

Tardewski salió de la pieza y yo me quedé solo. Aparte de los sillones y de una mesita baja, octogonal, pintada de negro, no había en el cuarto otros muebles, salvo una especie de aparador con varios cajones y una puerta de dos hojas. En la pared frente a mí, pegada con chinches había una foto ampliada de alguien que me pareció vagamente conocido, pero cuyo rostro no pude identificar.

Vivo solo aquí, dijo Tardewski mientras acomodaba los vasos y la botella de vino. Viene una mujer todos los días y se ocupa de la casa. Se llama Elvira, está conmigo desde hace años y sin embargo no sé absolutamente nada de su vida. Sólo que se llama Elvira y que vive en las afueras. El Profesor la quería mucho, dijo Tardewski. Enseguida se rectificó: había querido en realidad decir que el Profesor la quiere mucho. A veces, dijo, basta que alguien falte unas horas para que hablemos de él como si hubiera muerto. Al revés de lo que pasa en los sueños.

Después dijo que mientras estaba en la cocina había pensado en mi conversación con Marconi. En seguida, dijo, había recordado una conversación que él, Tardewski, había tenido a su vez con Marconi tiempo atrás. En esa conversación Marconi le había contado un hecho extraordinario referido a una mujer. Esa charla que ellos dos habían mantenido tiempo atrás en el Club, dijo, comenzó con ciertos comentarios de Marconi sobre las mujeres.

Marconi era, dijo, como ya me había dicho, una especie de personaje local. El personaje local del Poeta. Sus poemas, quizás no los que sueña, pero sí los pocos que escribe o al menos los pocos que publica, le voy a decir, me dijo, no están nada mal. Son de un hermetismo cultivado, de una oscuridad casi maníaca. Esa vez, como le digo, me dice Tardewski mientras me sirve vino, hablamos con Marconi sobre cierta particularidad de las mujeres, o mejor, de cierta particularidad de la relación que las mujeres establecían con él, con Marconi. Atraigo a las muy jóvenes, a las adolescentes de 15, 16 años o a las viejas, pero a las viejas viejísimas, me decía Marconi, cuenta Tardewski. Recibe una abundante correspondencia en el diario donde trabaja y donde muy de vez en cuando publica sus sonetos. Recibo, me contaba Marconi, por lo menos dos o tres cartas semanales que me escriben mujeres diversas. Algunas de esas cartas son notables; las hay de todas clases, me decía Marconi, cuenta Tardewski, usted se puede imaginar: niñas que se sienten atraídas por la poesía y escriben cartas cursis y sentimentales; señoras que me escriben en secreto para confesarme que siempre les ha interesado la literatura pero que el matrimonio, los hijos, las obligaciones de la vida doméstica las han ido alejando de lo que entienden es su verdadera vocación. Muchas me escriben para contarme ese tipo de cosas. Pero hay otro tipo de cartas que son realmente notables, por ejemplo cartas obscenas, me contaba Marconi. Suelo recibir cartas de una obscenidad aterradora de mujeres que me escriben al diario sin darse a conocer. Casi nunca soy yo el objeto de esas cartas, no se trata de que piensen en mí al escribirlas. Yo soy, simplemente, el destinatario. Ellas me cuentan aventuras con sus amantes actuales o recuerdan sus historias sexuales del pasado. Algunas son cartas con fantasías de una perversidad fascinante, acompañadas, a veces, de dibujos infames, descripciones anatómicas para ejemplificar el carácter de sus ilusiones o de sus experiencias eróticas. ¿No es notable? me decía Marconi esa noche en el Club, me cuenta Tardewski. ¿No es notable que me elijan a mí, al poeta, como destinatario de esas cartas? En general no esperan respuesta, sencillamente se sientan y me escriben, me contaba, dice Tardewski. Marconi, en fin, dijo, recibo una nutrida correspondencia y a veces una misma mujer me escribe durante meses. Por principio, me decía, jamás contesto y jamás incluyo en mis sonetos la menor alusión, por más oscura o anagramática que pueda imaginase, al contenido de esa correspondencia que recibo. Y sin embargo, dijo Tardewski que le había dicho Marconi, algunas de esas cartas son tan extraordinarias que puedo decir, me decía, dice Tardewski, que allí se encuentra no sólo la materia única, sino la inspiración más profunda de toda mi poesía. Hace algún tiempo, me contaba Marconi, comencé a recibir cartas excepcionales de una mujer. No se trataba en este caso de cartas pornográficas o de cartas tan cursis que uno, como suele sucederme a veces, pudiera considerarlas excepcionales. Estas cartas que comencé a recibir eran excepcionales en todo sentido. En todo sentido eran excepcionales, diría, dijo Tardewski que le había contado Marconi. Eran cartas de una calidad literaria tal, que si no fuera una palabra cómica, yo diría, me contaba Marconi, que parecían escritas por un escritor de un talento absolutamente fuera de lo común. Por de pronto venían escritas en un español levemente arcaico, casi quevediano, diría, estaban escritas en un español tan puro y cristalino que al leerlas, lo escrito por mí me parecía de una tosquedad insoportable y de una torpeza inesperada. La sola idea de comparar esas cartas con lo escrito por mí, me paralizaba por completo. Por otro lado, en esas cartas la mujer no escribía sobre sí misma, sino que contaba extrañas historias, relatos que tenían la textura y la firmeza impersonal de una parábola. Al final de la carta, la mujer añadía una frase que era, en realidad, pensaba yo, decía Marconi, la única parte de lo escrito que me estaba personalmente dirigida. Al final de la carta, la mujer siempre escribía: *De usted* y después firmaba con su nombre y apellido, que no revelaré, dijo Tardewski que le había dicho Marconi aquella noche en el Club, y abajo de su nombre, los datos de una casilla de correo y un número de teléfono. El final de las cartas era, entonces, siempre el mismo, pero las cartas eran siempre distintas y eran siempre perfectas, dijo Marconi, lo más parecido a la perfección literaria que yo he leído en años de años. Al cabo de tres meses me decidí por fin a contestarle, contaba Marconi, dijo Tardewski. Le contesté. Le dije que no pensaba verla y que por lo tanto el número de teléfono era inútil; le dije que tampoco pensaba contestarle y que sólo le había escrito esa única vez para decirle que sus cartas me parecían un esfuerzo insensato porque lo que ella escribía, esas parábolas estúpidas, no eran otra cosa que pésima literatura. La saluda atentamente: Bartolomé Marconi. Estuvo dos semanas sin escribirme, dijo Marconi, me dice Tardewski; hasta que continuó. Sus cartas no variaron, quiero decir que por un lado no se dignó discutir mis opiniones y que por otro lado siguió escribiendo los mismos extraños y bellísimos relatos de siempre, en ese hipnótico español sólo suyo que tenía la pureza de un cristal y la flexible elegancia de los gatos en el soneto de Charles Baudelaire. Una tarde, contó Marconi, me cuenta Tardewski, estaba escuchando música. A mí me gustan mucho los cuartetos de Beethoven, y agregó, dice Tardewski, Marconi agregó que en eso por supuesto no era nada original. Me gustan muchísimo esos cuartetos de Beethoven, dijo Marconi, cuenta Tardewski, y me ponen en un estado de ánimo particular. Así habría que escribir, pienso cada vez que los escucho. Cada vez que escucho los cuartetos de Beethoven, repitió Marconi que a esa altura estaba un poco borracho, me cuenta Tardewski, pienso: Daría diez años de mi vida por llegar a escribir algo que sonara, al leerse, como los cuartetos de Beethoven. ¿Usted ha leído el *Doktor Faustus*? me preguntó Marconi, dice Tardewski. No, le contesté, no me gusta Mann, prefiero a Kafka, pero he leído, me cuenta Tardewski que le contestó a Marconi esa noche, en el Club cuando él le preguntó si había leído el *Doktor Faustus* de Thomas Mann, los ensayos sobre música de Adorno, así que lo comprendo perfectamente. Lo comprendo perfectamente, le dije, me cuenta Tardewski, ¿y entonces? Entonces, me contestó Marconi, esa tarde yo escuchaba los cuartetos de Beethoven y pensaba: Así habría que escribir, me cago en Dios, y estaba dispuesto a suscribir ahí mismo un pacto con el Diablo. Es decir, dijo Marconi, que me sentía en un estado de ánimo muy particular y entonces me dije: Tengo que ver a esa mujer. La llamo por teléfono, contó Marconi. Le digo: Tengo que verla de inmediato. ¿Puede venir a mi casa? Vivo a más de veinte kilómetros de Concordia, pero puedo tomar un taxi, contó Marconi que le había contestado la mujer, dijo Tardewski. Venga inmediatamente, le dice Marconi. Sí, dijo la mujer. Me cambio de ropa, me pongo un traje, una corbata, contaba Marconi. Estaba en un estado de ánimo tan particular que necesitaba que *esa* mujer y ninguna otra persona en el mundo, me dijera: Usted es el más grande, es el mejor, no hay otro poeta como usted. Momentos de debilidad que uno tiene, dijo Marconi. Momentos de debilidad en todo el sentido de la palabra. Me paseaba por la habitación, esperando. Una hora más tarde tocan a la puerta. Abro y al abrir, dice Tardewski que le contó Marconi aquella noche en el Club, empecé a reírme o a toser como un idiota. Tenía un vaso en la mano, un vaso de vidrio, con gin o ginebra o whisky, con algún líquido alcohólico que yo estaba tomando con hielo, al toser el vaso me temblaba y el hielo hacía un ruido que yo no dejaba de escuchar mientras pensaba: es el ruido que hace el hielo al golpear contra las paredes de un vaso de vidrio. Era una mujer increíblemente fea, de una fealdad fascinante, casi perversa. Dejé el vaso sobre un mueble. Le invité a pasar. Nos sentamos. Se quedó cuatro horas. Jamás voy a poder olvidarla. Fue algo extraordinario. Me contó todo lo que no me había dicho en sus cartas, quiero decir, me habló de su vida. Situaciones, momentos de su vida, su adolescencia; era un monstruo pero tenía una inteligencia refinadísima, sutil, y ese extraño y tan bello manejo un poco arcaico, como latinizado, del español. La mujer vivía con su hermana en una casa de las afueras y se ganaba la vida bordando manteles. Le había empezado a escribir porque le gustaban, dijo, los sonetos que escribía Marconi, si bien veía en ellos una excesiva voluntad de asombrar por medio de la destreza técnica. En cuanto a ella, se apasionaba por la literatura desde siempre, pero no se sentía capaz de dedicarse a escribir porque, dijo la mujer, contó Marconi, me dice Tardewski: ¿Sobre qué puede un escritor construir su obra si no es sobre su propia vida? ¿Sobre qué si no sobre su propia vida? dijo. Y su vida, dijo, era algo tan abominable como su cuerpo y por lo tanto era imposible que pudiera dedicarse a la literatura porque para ella escribir era justamente olvidarse de eso que debería ser el tema de su obra. Esas cartas las había escrito, dijo, porque a veces, de noche, no podía más. A veces, de noche, no podía más y escribir esas cartas la aliviaba, le permitían desentenderse por un tiempo de sí misma y de su vida. Pero él, Marconi, había tenido razón al decirle que eran pésima literatura. Ella lo presentía, dijo, sabía que eran pésima literatura porque la literatura sólo puede construirse con la trama de la vida. Uno escribe, dijo la mujer, y las palabras son su cuerpo: al querer borrar mi cuerpo en lo que escribo jamás voy a poder construir otra cosa que palabras vacías, sin sangre, palabras huecas, como hechas de aire. Eso, pero dicho de un modo mucho más bello y enigmático, fue lo que dijo la mujer, dijo Marconi, me cuenta Tardewski. Y entonces yo, dijo Marconi, que comprendía muy bien que la mujer estaba totalmente equivocada con esa absurda teoría sobre la literatura que se construye con la propia vida, que me daba cuenta de que la mujer estaba totalmente equivocada porque además había leído lo que ella era capaz de escribir, entonces yo, contó Tardewski que le había dicho Marconi aquella noche en el Club, le dije que tenía razón, que ella no había nacido para la literatura, que sus cartas eran, a pesar de su esfuerzo por olvidarse de sí misma al escribirlas, tan informes como su cuerpo. Le aconsejé, dijo Marconi, me cuenta Tardewski, que pusiera todo su empeño en el bordado de manteles o en algún otro arte impersonal por el estilo. Le dije lo que por supuesto en mi puta vida había creído, le dije que ella tenía razón, que la literatura era siempre autobiográfica y que ella debía olvidar para siempre esa tentación. ¿Se da cuenta, Tardewski? me preguntó Marconi. Con una frialdad que me sorprendió a mí mismo, la convencí de que era una insensatez que ella pudiera sospechar siquiera la posibilidad de dedicarse a la literatura. Y lo hice en un estado de extraña exaltación, ayudado sin duda por el clima que me habían creado los cuartetos de Beethoven, sintiendo a la vez en el fondo de mí un sórdido temor, contó Marconi, dice Tardewski. El sórdido temor de que la mujer no se dejara convencer. Porque si no puedo convencerla, pensaba, y esta mujer, este monstruo, se decide a publicar cualquier cosa que escriba, seré yo quien tendrá que abandonar por completo la escritura. Si esa mujer seguía escribiendo, nadie, en el presente ni en los años que siguieran, nadie, iba nunca a recordar que había existido un poeta llamado Bartolomé Marconi. Pensaba eso, estaba exaltado por mi misma sordidez, me cuenta Tardewski que le dijo Marconi. Y la mujer me agradeció que hubiera sido sincero, aunque ella, dijo, en el fondo ya lo sabía, e incluso se lo había dicho a sí misma, casi con las mismas palabras que él estaba usando ahora. Uno sólo puede escribir sobre su cuerpo, me dijo la mujer, cuenta Tardewski que le dijo Marconi. Uno sólo puede escribir sobre su cuerpo, grabar los libros en la carne de su cuerpo, pero mi cuerpo, dijo, es tan abominable y yo lo odio como nadie jamás ha podido odiar nada en este mundo. Nadie puede saber, dijo la mujer, qué clase de odio es el odio que yo tengo por mi cuerpo. Nadie, dijo, puede saber como sé yo, qué cosa es tener asco de sí mismo. ¿Cómo podría entonces ella, dijo, escribir sobre su vida? y por eso otra vez, estoy condenada, dijo la mujer; porque entonces lo que escribo no puede ser más que esas historias tejidas en la pobre tela del olvido. Falsas historias que no tienen carne, porque la literatura no puede tener otra materia que la propia experiencia vivida. Historias falsas, fraudulentas, artificiales, donde la sinceridad y la verdad son como el aro hueco de madera donde bordo mis manteles. Deshilachadas fantasías que usted, señor, dijo la mujer, ha tenido el coraje y amabilidad de definir tal como son. Eso dijo la mujer, de otro modo y con mejores palabras, y después se puso trabajosamente de pie y yo la acompañé hasta la puerta, me cuenta Tardewski lo que Marconi le ha contado esa noche en el Club. Fui atrás de ella y la miré caminar: se movía con un patético bamboleo, como si atravesar el aire le costara a ella el mismo esfuerzo que puede costarnos a cualquiera de nosotros caminar por el río, con el agua a la altura de la ingle. La seguí hasta la puerta, nos despedimos y nunca más he vuelto a saber nada de esa mujer, dice Tardewski que ha contado Marconi, aquella noche, en el Club.

Después Tardewski volvió a hablar de esa cualidad destructiva, de esa rara lucidez que se adquiere cuando se ha conseguido fracasar lo suficiente. Porque otra de las virtudes del fracaso, dijo, es que nos enseña que nunca nada deja su huella en el mundo. Todo lo que hemos vivido se borra y eso quizás, dijo, es lo que había comprendido esa mujer en el cuento de Marconi.

¿Se sirve más vino? dijo entonces Tardewski y de a poco empezó a retomar el relato de su vida. Si le he hablado de todo esto, dijo, es porque yo mismo, claro, soy un fracasado. Quiero decir, un fracasado en el verdadero sentido, es decir, dijo, alguien que ha desperdiciado su vida, que ha derrochado sus condiciones. He sido, dijo, lo que suele llamarse un joven brillante, una promesa, alguien frente a quien se abren todas las posibilidades.

Yo he sido, dijo, *marcado* por Wittgenstein. Debo decirle que él no era lo que suele llamarse un hombre caritativo, pero yo no vacilaría en decir que era genial, o lo más parecido a un genio que uno pueda imaginar. Por de pronto, dice Tardewski, es el único en la historia que produjo dos sistemas filosóficos totalmente diferentes en el curso de su vida, cada uno de los cuales dominó por lo menos a una generación y generó dos corrientes de pensamiento, con sus protagonistas, sus comentadores y sus discípulos absolutamente antagónicos. Tratar de conocer a Wittgenstein, escribió Bertrand Russell que durante un semestre lo tuvo entre sus alumnos porque Wittgenstein, después que leyó *Los principios matemáticos* abandonó su carrera de ingeniero y se fue a Cambridge y se anotó en los seminarios de Russell. *Tratar de conocerlo,* decía Russell, fue la aventura intelectual más excitante de mi vida. Wittgenstein era un hombre de genio, si es que eso existe, pero en su vida fue desdichado como pocos y vivió atormentado hasta su muerte. Atormentado por sus ideas, no por otra cosa; atormentado porque quería pensar bien y porque tenía enormes dificultades para escribir. De hecho publicó un solo libro antes de su muerte el *Tractatus logico-philosophicus* en 1922, concluido, por lo demás, a los 29 años. Pocas obras produjeron en la historia de la filosofía el efecto de ese libro de 60 páginas. Wittgenstein estaba convencido y así lo escribió, con una especie de desaforada humildad, en el Prefacio, que su libro resolvía por fin en todos los puntos esenciales los problemas que la filosofía se había planteado desde Parménides. Siendo así, señalaba, no había por qué continuar haciendo filosofía. Se despidió entonces de ella, de la filosofía, para dedicarse, dijo, me cuenta Tardewski, a otras actividades, entre ellas el álgebra. Sin embargo de a poco, a los dos o tres años, comenzó a tener el oscuro sentimiento de que el *Tractatus* era un fraude. Situación trágica, si las hay, dijo Tardewski. Trágica, antes que nada, porque él era el único en darse cuenta dónde estaba el error de su libro. De modo que volvió a Cambridge para decirlo y empezó otra vez a filosofar o al menos, como decía, si no a filosofar, a enseñar filosofía. Mientras su libro expandía su influencia, mientras sus ideas influían de un modo decisivo en el Círculo de Viena y en general en todo el desarrollo posterior del positivismo lógico, Wittgenstein se sentía cada vez más vacío e insatisfecho. Veía, dijo una vez en clase, a su propia filosofía tal como Husserl había dicho que debía ser visto el psicoanálisis: como una enfermedad que a sí misma se confunde con su cura. Eso que Husserl dijo del psicoanálisis, dijo esa vez Wittgenstein en clase, dijo Tardewski, es lo que yo digo de mi propia filosofía tal como ella está expuesta en un libro, a saber: en el *Tractatus*. Eso decía sobre sí mismo y sobre sus ideas Ludwig Wittgenstein a sus alumnos de Cambridge, año 1936, me dice Tardewski, lo cual, por lo menos, debe ser considerado un ejemplo de lo que puede entenderse por eso que algunos llaman coraje intelectual y fidelidad a la verdad. Era lo más parecido a lo que yo me imaginaba que debía haber sido Sócrates, sólo que era muchísimo más despiadado. Más despiadado y más sombrío que Sócrates o al menos de lo que Platón nos ha hecho creer que era Sócrates. Tenía por supuesto un prestigio enorme y un éxito mundial, pero estaba desesperado porque lo desesperaba la sola posibilidad de no poder llegar a la verdad. Era esa clase de persona, y pasó todos los años de su vida hasta su muerte en 1951, en un estado de exasperante vacío, construyendo trabajosamente otro sistema filosófico sobre las ruinas de su propia filosofía que él mismo se encargó de destruir. Recién después de su muerte aparecieron sus *Investigaciones filosóficas*, libro impresionante e inconcluso, construido a partir de las notas dispersas escritas en esos años en los que rechazaba todo lo que antes había sostenido, y fundaba, como le digo, dice Tardewski, un nuevo sistema filosófico destinado a influir sobre toda la filosofía moderna en lengua inglesa. *Sobre aquello de lo que no se puede hablar, hay que callar*, había escrito, última frase de su libro que se ha hecho famosa si medimos la fama con el criterio de la cantidad de veces en que una frase ha sido citada.

En fin, dijo Tardewski, durante todos esos largos años en Cambridge, cuando se sentía derrotado por sí mismo y por su propia inteligencia, en esos años, que fueron los años en que yo fui uno de sus discípulos, no diré que Wittgenstein era un hombre que se mostrara generoso o amable. Era más bien un hombre amargo y cruel, pedante, cínico, un hombre despiadado que usaba su maravillosa inteligencia contra los otros, con el mismo desprecio con que la usaba, antes que nada, contra sí mismo y contra sus ideas y convicciones. Y sin embargo no puedo negar que él tuvo por mí una especial predilección y que fue generoso y me ofreció todas las posibilidades que un hombre de su posición puede ofrecer para abrirle las puertas de una brillante carrera académica a cualquiera de sus discípulos más favorecidos. Me hizo saber, sin decirlo jamás, que me ofrecía todas las posibilidades para que mi carrera alcanzara los triunfos más altos a los que puede aspirar alguien que tenga como objetivo en la vida triunfar en el mundo universitario. Y ahora, lo he pensado muchas veces, dijo Tardewski, ahora sé que fue esa suerte de expectativa, extremadamente elusiva y sutil y nada explícita que él ponía en mí, lo que me impulsó, incluso habría que decir, dijo Tardewski, lo que me ayudó a escaparme, literalmente, a Varsovia, ese verano del '39, en un momento en que todos, hasta los muy abstractos estudiantes de filosofía de Cambridge, teníamos la certeza de que la guerra iba a empezar en el momento y en el lugar donde empezó. Podría decirse, dijo Tardewski, que ese acto aparentemente irreflexivo o, si se prefiere, ese acto azaroso por el cual me vi atrapado por la entrada de las tropas nazis en Varsovia fue mi primera decisión consciente (aunque entonces no lo sabía) de llegar a donde ahora estoy: viviendo en Concordia, provincia de Entre Ríos, dedicado a la enseñanza privada de la filosofía, lo cual quiere decir que me gano la vida preparando a los estudiantes secundarios que deben presentarse a rendir examen de Filosofía o de Lógica o como se llamen esas materias que los jóvenes argentinos estudian en un manual escrito por un tipo de una ignorancia casi genial llamado, creo, Federico García Morente, Federico o Manolo García Morente, a quien yo denomino *El Asno Español II*.

Y todo esto ¿por qué?, dirá usted, me dice Tardewski, quizás por esa predilección fascinada que sentí en mi juventud por el mundo de los fracasados que circulan en los ambientes intelectuales. Dijo que en el fondo se sentía orgulloso de haber sido capaz de llevar hasta sus últimas consecuencias las ilusiones más secretas de su juventud. Pocos hombres, dijo, pueden decir lo mismo de sí mismo:

que han sido fieles a las ilusiones de su juventud. Muchos capitulan, dijo; que yo no haya capitulado y haya sido capaz de llegar hasta donde estoy ahora, Concordia, Entre Ríos, es uno de mis motivos de orgullo, aunque naides, como diría el Profesor, pueda darse cuenta.

Todo eso, dijo, le había costado un esfuerzo que a veces le parecía interminable. Había necesitado fortaleza y voluntad férrea. Fuerza de voluntad, por ejemplo, en 1939 para no volver a Londres y encaminarse, en cambio, hacia Marsella y tomar el primer barco (que a la vez era el último) que salía para América.

Y lo más notable, dijo, era que al embarcarse, él, por otro lado, ni siquiera sabía que el punto terminal de ese viaje era un país llamado Argentina. Un país, dijo, del que, podía creerle, tenía un desconocimiento tan absoluto que no vacilaba en calificar, dijo, a ese desconocimiento suyo sobre las características o la misma realidad de un país llamado la Argentina, no vacilaba, dijo, en calificarlo de un desconocimiento erudito. No sabía *nada* sobre la Argentina, subrayó Tardewski, no sólo casi no sabía que existía un país llamado así, sino que además ni siquiera sabía que ese viaje me llevaba a la Argentina. Había subido, dijo, al barco, atropelladamente, a último momento, para ocupar, estaba seguro, el último lugar que quedaba disponible, en medio, dijo, de una banda de tipos que escapaban, desesperados, de la guerra, sin saber bien, él, Tardewski, dijo Tardewski, hacía dónde iba. Creo que pensé que íbamos hacia los Estados Unidos, hubiera sido lo más lógico, dijo, dado que yo hablaba bien el inglés mientras que no sabía una palabra de castellano, pero en un momento dado de la travesía me enteré que nos dirigíamos hacia un lugar llamado la Argentina.

De todos modos, dijo, no había sido fácil realizar las ilusiones de fracaso que había soñado en su juventud. Durante un tiempo, dijo, incluso en medio de una situación general desesperada, las oportunidades de éxito se siguieron presentando y más de una vez, dijo, fue necesaria la ayuda del azar para lograr que un joven brillante como se suponía que yo era, alcanzara la altura más plena de ese fracaso que él había descubierto, tardíamente pero con total certeza, como la única verdadera forma de vivir que puede considerarse, de un modo cabal, filosófica.

Por ejemplo, dijo, cuando llegué a Buenos Aires y me presenté en el consulado polaco y les dije que había sido durante cuatro años un becario del gobierno polaco que hacía su tesis de doctorado en Cambridge bajo la dirección de Ludwig Wittgenstein (una tesis, dicho entre paréntesis, dijo Tardewski, cuyo tema era *Heidegger en los presocráticos)* y de la que no conservo nada, porque por supuesto dejé los papeles en mi pensión de Cambridge y fueron, creo, destruidos, junto con el resto de mi cuarto, por una V.2; esa tesis, dijo, de la que no conservaba nada salvo el recuerdo del título, a partir del cual se podía inferir que se trataba de probar, no tanto la influencia por ejemplo de Parménides o de Hippias, dijo, en Heidegger, sino la influencia ejercida por la lectura de *Ser y tiempo* sobre nuestra concepción de los presocráticos, algo en el estilo, dijo, se me ocurre, para que usted me comprenda, de *Kafka y sus precursores*. Los amables y un poco desesperados funcionarios de la embajada polaca en Buenos Aires se ocuparon de él. Le consiguieron alojamiento, se comprometieron, dijo, a mantenerme la asignación de la beca, como si estuviera en Cambridge, durante seis meses, mientras se aclaraba la situación europea, y me pusieron de inmediato en contacto con lo que podríamos llamar los círculos filosóficos de Buenos Aires.

Se trataba, en realidad, dijo, de un grupo de profesores de filosofía ligados a la Universidad de Buenos Aires, si bien el surtido que frecuentaba a esos *soi disant* filósofos, dijo Tardewski, era variado y uno podía encontrar entre ellos ramas y gajos diversos del saber humanístico. En general los tipos estaban fascinados por el orientalismo y había uno, sobre todo, que era una suerte de burócrata del budismo zen, se llamaba, me parece, Victorio Fatoni o

Valentín Fratone, algo así. Pero estos tipos, dijo Tardewski refiriéndose a los círculos filosóficos que había comenzado a frecuentar a su llegada a Buenos Aires a fines de 1939, estos tipos, dijo, no sólo se entusiasmaban con el budismo zen: simultáneamente, dijo, admiraban y exaltaban como a los grandes filósofos de nuestro tiempo (esto, dicho entre paréntesis, quiero decir: la expresión nuestro tiempo, les encantaba y la repetían a cada rato) a dos *individuos*, dos *sujetos*, a los que catalogaré, por ahora, así: indescriptibles.

Uno de estos dos grandes filósofos de nuestro tiempo era, dijo Tardewski, el que voy a nombrar Rey de los Asnos Españoles o Asno I, José Ortega y Gasset (no soy bueno para los juegos de palabras, dijo Tardewski entre paréntesis, lo era antes, quiero decir, cuando podía jugar con la lengua de mi madre). ¿Quiere más vino? me dice Tardewski, hace tanto que no cuento mis aventuras, me dice, que me entusiasmo, ya ve, pero puede detenerme o dormirse cuando quiera; se dedicaba, como le digo, este buen hombre, a escribir filosofía en una especie de disparatada declinación alemana del español. Era lo que se denomina un charlista español ¿no? El charlista radiofónico español *par excellence*, a quien, me entero yo al llegar, todos consideraban en esos círculos de Buenos Aires un Verdadero Maestro del Pensamiento de Nuestro Tiempo, un verdadero As ¿no? *Pero* además, me entero en cuanto termino de desembarcar con la voz grave y reflexiva de Wittgenstein todavía resonando en mis oídos, dice Tardewski, había otro Filósofo, otro Pensador al que todos, me entero, admiraban. Uno, digamos, que estaba a la misma altura del otro: o sea que este Asno compartía la gracia de la admiración incondicional con otro Asno, en este caso un *Deutsche Asno*, o sea un alemán legítimo que en realidad, según creo, era suizo: nada menos que el conde de Keyserling. Así que al abrir la puerta de los círculos académicos de la filosofía argentina me encuentro con ese batido de orientalismo burocrático, radiofonía española y un conde: esa era la trinidad sobre la cual se realizaban Altas Especulaciones. Todo era, en realidad, lo que se dice una cosa filosófica ¿no?, en verdad una Cosa verdaderamente *filosófica*. Frecuentaban esas reuniones, además, varias señoritas muy elegantes y una serie de caballeros educados y muy silenciosos.

Tardewski dijo entonces que no quería ser injusto. Existían en ese momento, dijo, otros filósofos en la Argentina y por lo menos dos de ellos eran excelentes, tipos de primer nivel. Por de pronto, dijo, estaba Mondolfo, que se había exiliado, huyendo de Mussolini y cuya edición crítica de los fragmentos de Heráclito había yo manejado en Cambridge, pero del que no tenía la menor noticia de que estuviera en la Argentina. Y además, dijo, estaba Carlos Astrada, sin duda el único verdadero filósofo que este país ha producido en toda su historia y que en ese momento era discípulo de Heidegger; el único en toda el área latina a quien Heidegger consideraba verdaderamente su discípulo. Tipos de cuya existencia me enteré muchísimo después y con los que había mantenido durante años una correspondencia, dijo, tan infrecuente como cálida. (Entre paréntesis, dijo, debo tener por ahí una carta muy divertida de Astrada, escrita en la época en que ya había roto con el heideggerianismo mientras los admiradores, súbditos y recitadores de Heidegger habían empezado a reproducirse como conejos en la que Astrada, en esa carta, aparte de discutir el viraje cada vez más abiertamente místico del filósofo alemán, se reía de la moda heideggeriana y de la proliferación de discípulos, recordando la anécdota de un filósofo argentino que luego de hacer su peregrinación iniciática a Friburgo había fotografiado con devoción, pero equivocándose, la casa vecina; foto de la morada falsa que exhibía, si no con discreción al menos con respeto sobre una de las paredes de su oficina en la Universidad con un cartelito, abajo, donde había escrito, este filósofo argentino: *Aquí habita hoy la verdad de Ser*. Lo que muestra, se divertía Astrada, la exactitud filosófica de ese error fotográfico: porque sin duda la morada del ser queda *al lado* de la casa de Heidegger, de allí que los muros no le dejen ver al pobre Martín otra cosa que la oscura esencia indecible del lenguaje, me decía Astrada en esa carta, dijo Tardewski cerrando el imaginario paréntesis que había abierto al iniciar la digresión.)

Bien, dijo, comencé entonces yo, joven polaco, estudiante de Cambridge, discípulo (quizás, sospechaban acá, fraudulento) de Wittgenstein, a frecuentar ese círculo de pensadores que desarrollaban sus actividades en las instituciones académicas oficiales y difundían su saber en publicaciones melancólicas. Yo, el polaco, me sentía un poco desorientado, un poco perdido y desanimado. Sin embargo, Tardewski dijo que había sido capaz, otra vez en su vida, de tomar la dirección que le indicaban los ideales más profundos y más puros de su juventud.

Yo hablaba con esas eminencias argentinas y de a poco comencé a insinuar, con cierta tímida reserva en francés, a insinuar que Ortega y Gasset, ese dúo, me parecía, dicho con todo respeto, les dijo, dice Tardewski, el ejemplo más pleno de la identidad de los contrarios planteada por Hegel como una de las leyes de su lógica, si bien en este caso la identidad primaba de un modo absoluto, y los contrarios eran totalmente especulares, porque este filósofo español, a pesar de la duplicación ilusoria que insinuaba su apellido, no deja de ser, les decía yo, con timidez, en mi suave francés, no deja de ser Uno, esto es, les dije: un asno. A ellos esto les pareció un exceso, fruto de los excesos de la juventud y de la desdichada situación por la que atravesaba mi tierra natal, arrasada por una conjunción donde se entreveraban la filosofía alemana, los blindados nazis y los voluntarios españoles de la Legión Azul. Confiaban en el paso del tiempo que todo lo aplaca y todo lo sosiega, y en mi lenta pero paulatina asimilación a las tradiciones culturales argentinas, para que yo terminara, como quien dice, por amaestrarme. Fue por ese entonces, prosiguió Tardewski, que debí, como San Antonio, sortear otra de las tentaciones que me presentaba la vida para llevarme al éxito. Porque ellos insinuaron que bastaba con que yo aprendiera a respetar un poco más a sus maestros y fuera un poco menos irreverente con las autoridades (filosóficas) y consiguiera cualquier papel que acreditara mis relaciones y mis estudios con Wittgenstein, para lograr lo que cualquier joven filósofo no debe nunca dejar de ambicionar como culminación de sus reflexiones metafísicas, esto es, una cátedra universitaria. Tentación. Ofrecimiento. Dicho en francés: la *securité académique*. En ese momento, a los 29 años, yo era bastante ignorante, ahora lo sé, pero igual sabía más filosofía que todos ellos juntos, y se los demostraba, incluso sin querer, con una pedantería al principio involuntaria. Por otro lado yo brillaba como un sol y mi brillo consistía en el hecho, natural para mí, de pasar, en las conversaciones filosóficas o no del griego al alemán, de allí otra vez al francés, al alemán, al griego, al inglés, al latín y otra vez al francés, cosa que en este país, como diría el Profesor Maggi, impresiona al más pintao.

Así que de haber sido un poco más respetuoso, sofrenado en los excesos de mi juventud y aprovechando los seis meses a los que la generosidad del cónsul polaco había extendido mi beca para perfeccionar aceleradamente mi castellano, cosa de poder afrontar al alumnado, podría haberme dejado tentar. Es lo que hizo Mondolfo, con infinitos mayores méritos que yo en ese momento, pero a la vez sin ninguna perversa vocación por ver en el fracaso la verdadera realización de la vida de un filósofo. Podría haber aceptado, ser gentil, dejarme tentar. En ese caso hoy sería, hoy podría ser yo, Vladimir Tardewski, digamos un profesor *full time* (en caso, dijo, de haber sabido encerrarse en los recintos cristalinos de la pura exégesis filosófica, sin salir para nada de allí a ver qué pasaba en el mundo) en filosofía moderna o contemporánea o antigua o medieval o cualquier otra desdichada mierda por el estilo, en lugar de estar aquí, en Concordia, Entre Ríos, dedicado a preparar jóvenes estudiantes secundarios a sortear con éxito sus exámenes de marzo en la asignatura Lógica de quinto. En lugar de estar aquí, quiero decir, dijo Tardewski, convertido en una versión paródica (para usar un término que a usted le gusta) de los *privatydozent*, de tradición tan prestigiosa en la historia de la filosofía europea desde Kant. Pero rechacé, como usted se imagina, esa tentación: en lugar de ser respetuoso me fui arrastrando cada vez más hacia la franqueza, delito imperdonable entre académicos. Empecé a expresar cada vez con mayor claridad lo que realmente pensaba. Yo, el polaco, bien tratado por esos caballeros, me dejé arrastrar por la cruda expresión de mis propios pensamientos.

Entonces, contó Tardewski, en una selecta reunión de selectos pensadores y gente de cultura en cuyas manos estaba, como quien dice, mi porvenir, empecé a discutir con uno de estos maestros del pensamiento argentino, cuyo nombre ahora no quiero recordar. Me puse a discutir, contó Tardewski, siempre en francés, pero con unas copas encima. O mejor dicho, no a discutir sino a insultar a todos los imbéciles que podían pretender o insinuar o llegar siquiera a vislumbrar la remota posibilidad que un idiota de la calidad del *soi-disant* conde de Keyserling pudiera ser considerado por alguien que se encontrara en su sano juicio; alguien, cualquier persona sensata, no ya un filósofo cuya profesión se supone que es pensar, tener ideas, alguien, cualquier persona sensata que a usted se le ocurra, sólo con leer dos páginas de ese malhadado conde West-West que intenta habitar el castillo de la filosofía; incluso diré más, dije en aquella selecta reunión, sólo con verle la cara o apenas una fotografía, ese hombre se daría cuenta instantáneamente que quien considera a ese conde un filósofo o un individuo con ideas, no era, ese alguien que así lo considerara, otra cosa, les dije, que un *imbécile*. General consternación, estupor general. Todo el mundo me miró estupefacto. ¿Discípulo de quién? preguntó uno sentado en una sillita. De Wittgenstein, le susurró otro sentado en otra sillita. *Mon vieux*, oh la, la... dijo el otro. Tal vez creían que me había vuelto loco. En fin, mi frase o párrafo antes citado causó general consternación entre los presentes. Todos entonces se escandalizaron cuando yo dije que este conde de

Montecristo de la *philosophie* (a quien, me enteré después en la embajada polaca, había invitado repetidas veces a visitar la Argentina como Huésped de Honor, huésped distinguido; a quien incluso una vez el presidente de la república ¿Ortiz sería? pongamos Ortiz, había ido a esperar a la Dársena Norte con escolta y banda como si hubiera llegado el mismísimo Tales de Mileto. Porque por otro lado este conde no sólo visitaba el país, era agasajado y homenajeado y mimado, sino que además, con un leve vistazo de sus ojos de conde, comenzaba de inmediato, no bien había desembarcado, apenas terminaba de estrechar la diestra presidencial de Roberto M. Ortiz, ahí mismo, este conde, en la Dársena Norte, luego de echar una rápida ojeada, comenzaba a disparar una presurosa, pero a la vez lenta y meditada, radiografía metafísica del Ser argentino, y explicación que era apuntada de inmediato en cuadernos y libretas llevadas al efecto por los atentos pensadores que integraban el comité de recepción quienes, unos meses después, según me contaron, mimaban, parafraseaban y comentaban las reflexiones del conde y elaboraban así, con esta invalorable ayuda externa, una interpretación filosófica nacional, una propia, quiero decir, dijo Tardewski, hecha aquí, interpretación metafísica de la Argentina y de su Ser Nacional que incluía a la pampa como Ahi-del-Dasein y al gaucho como representante *en-sí* del argentino invisible, esto es, el rústico pampeano como una especie de versión ecuestre del *noumeno* kantiano, dijo Tardewski cerrando el paréntesis abierto tiempo atrás) cuando yo dije que el conde de Keyserling, *ese* conde, era un muñeco parlante que ni siquiera podía sentarse sobre las rodillas de su ventrílocuo, ellos, entonces, los presentes en esa reunión, se sobresaltaron y me miraron con cierto *desdén;* con una educada suficiencia desdeñosa fui mirado desde ese momento por los círculos filosóficos argentinos. Me miraron como a un polaquito malsonante, disonante, malsano, insano, insalubre, enfermizo, enclenque, achacoso, maltrecho, estropeado, resentido, dañino, dañoso, nocivo, perjudicial, pernicioso, ruin, bellaco, fastidioso, deslucido, penoso, desagradable, *fracasado*. Así me miraron ellos, así me vieron: como lo que yo realmente era, dijo Tardewski.

De modo, dijo, que salí de ese Salón habiendo roto para siempre con esa zona o comarca de la inteligencia argentina que hubiera podido asegurarme un ingreso decoroso en el decorativo mundo universitario nacional.

Entonces ¿qué hacer? dijo Tardewski. Mi posibilidad de triunfar en los círculos académicos argentinos estaba cerrada; *kaputt*. Pero sin embargo me quedaba todavía *una* oportunidad, la última en realidad, de aferrarme a la posibilidad del éxito. Y para lograr en este punto el fracaso, dijo, debieron encadenarse, una vez más en su vida, ciertos hechos. Pero ¿qué hora es? me dice Tardewski. Las dos y media, le digo. ¿Tiene sueño? me dice. No, le digo, para nada. Su tío, me dijo Tardewski, debe estar por llegar. Sí, le digo, debe estar por llegar. Siga, le dije, y ¿entonces?

Entonces, siguió contando Tardewski, caminaba yo por Buenos Aires, en esos meses del verano de 1940, solo, desterrado, conociendo unas pocas palabras de castellano y por lo tanto sin ninguna posibilidad de hablar con nadie. Y a medida que la guerra se desarrollaba en Europa, a medida que las tropas nazis iban arrasando la cultura europea, yo mismo iba siendo arrasado, como si fuera su representante. Vivía entre ruinas, entre los restos de mí mismo; y entonces me aferré a lo que era mi última oportunidad. Me aferré a eso que, justamente, me había llevado a donde estaba: en aquel verano de 1940, yo caminaba por la calle Tres Sargentos y meditaba sobre Hitler y la devastación de la cultura europea, aunque en realidad lo que hacía era meditar sobre Hitler y Kafka.

Porque dos años antes, dijo Tardewski, él había hecho un descubrimiento que podía ser considerado, con toda objetividad, un descubrimiento extraordinario. Me aferraba a ese descubrimiento: lo esperaba todo de él, porque, dijo, no había llegado aún a convencerme de que debía esperarlo todo del fracaso.

Yo caminaba por la ciudad y pensaba en mi descubrimiento, dijo. Se daba cuenta con claridad que allí podía estar la oportunidad de hacerse un renombre que le permitiera, dijo, vengarme y demostrar mis condiciones a los despreciativos integrantes de los círculos académicos argentinos. Porque quiero que sepa, me dijo Tardewski, que el orgullo intelectual, la esperanza de poder probar lo que uno realmente vale (o cree que vale) es lo más difícil de abandonar. El orgullo intelectual, sepa usted, es lo último que se pierde, aunque uno se haya convertido en una escoria. No pensaba en eso sólo por ese motivo sino porque además algunos resultados de ese descubrimiento eran el único material de lectura y de reflexión que yo tenía en esos meses de verano de 1940 en Buenos Aires. Tenía un ejemplar de la primera edición de las *Obras Completas* de Kafka en seis volúmenes y un cuaderno con notas y apuntes personales: eso era lo único que yo había logrado salvar de mi naufragio europeo. En realidad, dijo, esas notas y los libros de Kafka se habían salvado del desastre porque eran todo lo que él se había llevado para trabajar en Varsovia durante las vacaciones cuando lo sorprendió la guerra. Se trataba, dijo, de los primeros resultados de ese extraordinario descubrimiento que había hecho, por casualidad, en la biblioteca del British Museum, una tarde de 1938.

Realizado ese hallazgo comencé una especie de febril actividad que me hizo descuidar, en más de un sentido, mi tesis y mis estudios. Yo no sabía que ese descubrimiento había comenzado a socavar, como enseguida le explicaré, mis convicciones filosóficas; sencillamente pensaba que, por azar, había encontrado algo excepcional y que, como quien dice, no tenía que perdérmelo. Mi tesis se podía postergar un par de semanas. Fueron más de un par de semanas: ese descubrimiento me trajo aquí, donde ahora estoy.

1938: eran años duros, usted no había nacido pero se lo puede imaginar. Munich. Los Sudetes. La expansión alemana. En medio de esa situación yo buscaba datos sobre Kafka, *ciertos* datos sobre Kafka. Conocía bien sus textos. En 1936, como complemento a su curso sobre lenguaje natural y lenguaje formal, Wittgenstein había invitado al crítico checo Oskar Vazick a dar un seminario sobre Kafka en Cambridge. El uso conciso y casi artificial del alemán que hacía Kafka interesaba especialmente a Wittgenstein, que veía ahí la confirmación de algunas de las hipótesis que desarrollaría luego en sus *Investigaciones filosóficas*. Kafka manejaba el alemán como si fuera una lengua muerta y su condición de bilingüe, su pertenencia a la minoría de habla alemana en medio de una población mayoritariamente eslava, su situación desplazada y como ajena respecto al lenguaje sirvieron, al ser expuestas y analizadas por Vazick (integrante del recién creado Círculo de Praga) como ejemplo práctico de alguno de los problemas teóricos expuestos por Wittgenstein. Recuerdo que al comenzar la primera de sus cuatro conferencias Vazick dijo: Quiero hablarles de un escritor apenas conocido y que está llamado, sin duda, a ocupar, junto con Proust y Joyce, la trilogía decisiva de la literatura del siglo XX. Todos nosotros, dijo Tardewski, conocíamos a Proust y a Joyce pero ¿Kafka? ¿Quién era ese tipo de nombre tan cacofónico? Para ese entonces se habían publicado ya los tres primeros tomos de sus *Obras Completas* y la mayoría de los estudiantes que cursamos ese seminario nos lanzamos, por supuesto, a la lectura del autor de *La metamorfosis*. Todavía hoy, dijo Tardewski, recuerdo la impresión que me produjo y no creo que jamás otro escritor me haya producido o me vaya a producir el mismo efecto. O al menos eso espero.

No era entonces un mejor conocimiento de los textos de Kafka lo que yo buscaba en esos días de fines de 1938 y comienzos de 1939 sino otra cosa. Ciertos datos de su vida que sirvieran para documentar y asegurar un descubrimiento de cuya verdad yo no tenía dudas. Necesitaba eso que los universitarios llamamos mayor seguridad en las pruebas documentales. Necesitaba en realidad confirmar algunos datos sobre la vida de Kafka. Pensaba entrevistar a Oskar Braum, a Janouch, y por supuesto, si era posible, a Max Brod. Decidí dirigirme, antes que nada, a Praga, pero la invasión alemana borró toda posibilidad. Durante un tiempo pensé que no encontraría modo de atestiguar lo que necesitaba por medio de alguien que hubiera frecuentado a Kafka en los años 1909 y 1910. Me llegaron entonces ciertos rumores de que Oskar Braum se había trasladado de Praga a Varsovia y que residía ahí. Por eso decidí pasar mis vacaciones de verano en Varsovia, año 1939. El choque de Kafka y las tropas nazis se cruzó otra vez en mi vida. A los diez días de estar en Polonia, y sin que yo hubiera podido localizar a Oskar Braum (que por lo demás era ciego) estalló la guerra. De modo que por ese motivo el único material, digamos intelectual, que traía en mi valija al desembarcar en Buenos Aires eran algunos apuntes, resultado parcial de mis investigaciones, y los seis tomos de las *Obras* de Kafka. Ese era todo el bagaje al que podía recurrir para salvarme cuando rompí con los círculos filosóficos de Buenos Aires.

Vagaba entonces por la ciudad y me encerraba en mi pieza del Hotel Tres Sargentos a trabajar en lo que yo consideraba (y tenía razón como usted verá) un *gran* descubrimiento. En esos meses del verano de 1940, mientras Hitler arrasaba Europa, me decidí a escribir un artículo con la intención de asegurarme la *propiedad* de esa idea que yo tenía sobre las relaciones entre el nazismo y la obra de Franz Kafka. Lo redacté en inglés y lo hice traducir en una casa de la calle Talcahuano por una chica, me acuerdo, que no sabía ni polaco ni inglés, pero que conocía tan bien el español que hizo, creo, una excelente traducción. El consejero cultural de la embajada polaca consiguió hacerlo publicar en *La Prensa* el domingo 21 de febrero de 1940. Polonia significaba en ese momento el símbolo mismo del holocausto provocado por los nazis y eso ayudó a que se publicara un ensayo que, dicho sea de paso, pasó totalmente inadvertido.

Mientras trabajaba en el artículo no me sentí del todo mal, pero después que lo entregué empecé a comprender mi verdadera situación y el vacío que me rodeaba. La noche que se publicó, quiero decir la víspera, yo me sentía tan desesperado que decidí esperar la madrugada para comprar el diario en cuanto apareciera. Hacía mucho calor esa noche y yo anduve paseando por la ciudad y terminé sentado en un bar de la Avenida de Mayo esperando que llegara el diario. Estaba desesperado y a la vez ilusionado, ansioso como cualquier joven escritor que espera ver el periódico donde se ha publicado algo escrito por él. Como se da cuenta me faltaba mucho que aprender. Sin embargo estaba al borde de la experiencia fundamental que me iba a permitir comprender mi vida de un solo golpe, comprender qué era lo que realmente buscaba y hacia dónde tenía que dirigirme.

Me faltaba, sin que yo lo supiera, menos de dos horas para enterarme de todo eso. Entretanto, serían las tres de la mañana, yo estaba sentado en una mesa del bar Tortoni, tomando café y fumando, pensando, creo, en la paradoja siguiente: pronto iba a poder ver algo publicado por mí, lo primero verdaderamente personal que en realidad yo había publicado en mi vida, porque todo lo demás que circulaba en mi *curriculum vitae* no eran más que comentarios o paráfrasis de ideas de otros, ejercicios melancólicos de seudoerudición filosófica (del estilo, digamos la verdad, de lo que hubiera sido mi tesis de haberla concluido) editados en revistas especializadas. Esto era distinto: se trataba de una idea *mía*, de un descubrimiento personal, algo original que yo mismo había pensado sin ayuda. La paradoja (la primera paradoja, en realidad) era que yo no iba a poder leer ese texto publicado por mí dado que no sabía español. Lo que no dejaba de ser, pensaba yo, me dice Tardewski, una metáfora de mi situación. En fin, pasaron los minutos, las horas, llegó el diario, compré un ejemplar y allí, junto con titulares catastróficos sobre el avance de las tropas nazis pude ver, en el interior del periódico, en un suplemento en rotograbado de color sepia, *mi* artículo, un artículo que yo no podía leer pero que era mío, titulado, creo: *El cruce entre Hitler y Kafka; una hipótesis de investigación* por Vladimir Tar*do*wski. ¿Una nueva metáfora? ¿La otra metáfora? No, todavía faltaba una. Caminé por Avenida de Mayo hacia el río, con el diario bajo el brazo y cuando llegué al Hotel y subí y entré en mi pieza me encontré con una reproducción en miniatura, pero real, de la Europa arrasada por la guerra. Durante mi ausencia, esa madrugada, habían entrado ladrones (o un solo ladrón) y se habían llevado *todo* lo que yo tenía. Todo, incluido mi cuaderno de notas y mi edición de las *Obras* de Kafka; aparte, por supuesto, del dinero, la ropa, la valija. Hasta una foto de mis padres que yo tenía sobre la mesa de luz se habían llevado. Eran ladrones exhaustivos, digamos.

Ahora, dice ahora Tardewski, había realmente tocado fondo. No sólo estaba solo en un país desconocido, sino que además todas mis propiedades en el mundo se reducían a lo que llevaba puesto (un pantalón de verano, una camisa, un par de zapatos sin medias, un calzoncillo, un cinturón, un pañuelo), aparte, eso sí, de un ejemplar del diario *La Prensa* de ese domingo 21 de febrero, con un artículo de Vladimir Tar*do*wski en su sección cultural. En el bolsillo tenía el equivalente, en pesos argentinos, de once dólares. Me senté en la cama mientras amanecía, me acuerdo, y me puse a pensar. Había llegado al más perfecto estado de desposesión al que un hombre puede aspirar: no tenía *nada*. Al lado mío, cualquier personaje de Kafka, por ejemplo Gregorio Samsa, podía considerarse un hombre satisfecho. Estaba entonces yo desposeído, en el más perfecto estado de desposesión que uno puede imaginar, sentado en la cama, en una pieza, en un hotel, en una ciudad, en un país desconocido, hundido en la carencia más absoluta. Pues bien ¿qué me había llevado hasta aquí? Esa fue una de mis líneas de pensamiento. ¿Qué me había llevado hasta ahí? ¿Qué cosas se habían encadenado? Retrocedí hasta una tarde de noviembre de 1938 en la biblioteca del British Museum y desde ahí regresé, vía Varsovia, la guerra, Marsella, el barco, Buenos Aires, etc., hasta esa pieza en un hotel de la cortada Tres Sargentos, en una de cuyas dos camas gemelas estaba sentado (ya era la tarde del domingo). La otra línea de pensamiento se dirigía, digamos, hacia adelante. ¿Qué hacer? Pregunta peligrosa. Por de pronto *pensar:* único modo conocido por mí de no volverme loco. Reflexionar. Seguir una dirección de pensamiento lógica y coherente. Hacia atrás, hasta la biblioteca del British Museum *pero* también más allá, por ejemplo, hasta esa reunión o fiestita en una casa polaca, en mi juventud, con mi amigo el ex matemático y la bella señorita que tenía una verruga infame atrás de una de sus dos bellas orejas. Toda mi vida pasó frente a mí como, según dicen, les sucede a los que van a morir. Por un lado yo veía desfilar toda mi vida: escenas de mi vida pasada. Por otro lado, yo trataba de imaginar escenas de mi vida futura. Miraba mi pieza en ruinas del Hotel Tres Sargentos, tal cual los polacos miraban las ruinas de su patria. En todos lados: restos, desolación. Para peor, veía yo por la ventana, se había largado a llover. Una verdadera tormenta de verano.

¿Y entonces? Situación grave; estoy sentado en la cama, como Descartes en su sillón frente a su filosófica chimenea en Holanda. Pienso, luego existo. De acuerdo, pero no tenía un centavo. Todas las otras pérdidas tenían un sentido trágico, una cualidad, digamos así, simbólica: la lengua natal, la patria, los amigos. Pero ¿y el dinero? Sin dinero ¿cómo iba a hacer, no ya para pensar, sino, más directamente, para existir? Me puse a pensar en eso, o sea, me puse a pensar (segunda línea de reflexión) *cómo* hacer para existir.

Ese domingo llegué a varias conclusiones que por el momento, me dijo Tardewski, le ahorro para retomar el hilo de los acontecimientos. Llovió todo el domingo, toda la noche del domingo hasta la madrugada. Al día siguiente, o sea el lunes, me presenté, una vez más, en la embajada polaca. La tormenta había hecho bajar tan abruptamente la temperatura que yo, vestido con una tenue camisa de hilo, temblaba como un personaje de Dostoievski, los dientes me castañeteaban de frío (es eso lo que hacen, me explicó Tardewski, aunque parezca mentira, los dientes, una especie de ruidito así ¿ve?), estaba congelado, gris. De todos modos me dirigí al paciente edificio de la embajada polaca en Buenos Aires, expliqué mi nueva situación; me escucharon con un aire cada vez más reprobador. ¿No me estaba pasando un poco? ¿No me excedía un poquito con mis problemas personales? ¿No me habían conseguido ellos el ingreso a los distinguidos círculos filosóficos de Buenos Aires? ¿No habían incluso logrado que me editaran un artículo, bastante extravagante, por lo demás, en *La Prensa*? ¿*Qué* era lo que *verdaderamente* quería yo? Un saco, les dije, un pulóver ¿no tendría alguno de ustedes, por ejemplo, una tricotita? Mis dientes castañeteaban. Ellos me miraron con ojos reprobadores y polacos. De todos modos fueron, una vez más, generosos conmigo. No dejaban de comprender que yo me había convertido en el Representante más genuino de la desdichada situación de la Patria Polaca. En un sentido yo era el embajador de esa desdicha; llevaba sobre mis espaldas la cruz polaca.

Generosos, me prestaron un pulóver, que me quedaba un poco corto de sisa pero que, en fin, era un pulóver, y me adelantaron las dos mensualidades que faltaban para completar mi beca de seis meses. Con esa plata me compré ropa, un traje, etc. Una semana después, el 1º de marzo de 1940, entré a trabajar con el cargo de ayudante de segunda, supernumerario, en el Banco Polaco de Buenos Aires. Mundo, en fin, kafkiano. Un salario de hambre, algo así como cien dólares por mes y rentabilidad: cero. Antitalento eminente en materia económica y bancaria (yo era un filósofo) no comprendía nada de todos aquellos papeles. Me habían destinado a la sección cuentas europeas a causa de mi fluido dominio de las lenguas indoeuropeas, *salvo* el español. Ahora bien, eran tiempos de guerra, de modo que no había transacciones de ninguna clase y la sección cuentas europeas era una tumba. Las horas pasaban absurdas, exasperantes, estériles. Me compré un diccionario español-inglés y una gramática y me dediqué a aprender el castellano. Además me conseguí un cuaderno y empecé a anotar frases y textos de los libros que leía. Decidido a no escribir nada que yo mismo pudiera pensar, nada mío, ninguna idea propia. No tenía ideas, por otro lado, era un zombie polaco. En ese momento empecé a llevar una especie de diario de mi vida hecho con frases ajenas. En esas horas muertas en el Banco leía y anotaba ideas de otros en un cuaderno que debía esconder en un cajón cuando aparecía el segundo sub-gerente, que por un lado no quería verme inactivo y por otro lado no tenía ningún trabajo que darme. Lo primero que hice, me acuerdo, fue transcribir la citas que reproducía en mi artículo del diario *La Prensa. Todavía,* ya ve, conservaba, aunque arruinado, el instinto de la propiedad intelectual. Las copiaba del español que no entendía, de modo que era como reproducir un jeroglífico, dibujaba las letras, una por una, sin entender lo que escribía y guiándome por las comillas, signo internacional. ¿No era esa una buena imagen de la situación del escritor kafkiano? El copista de un texto propio que no se puede leer. En fin, para seguir con Kafka, dijo Tardewski, unas semanas después, en una librería de viejo de la calle Corrientes volví a comprar uno de los tomos de mi edición de las *Gesammelte Schriften* de Kafka que, seguro, el mismo tipo que me había robado se encargó de vender. Era el tomo VI *(Tagebücher und Briefe).* ¿Qué habrá sido de los otros cinco tomos?, se preguntaba Tardewski. Seguro los compró Borges, le digo. Sí, casi seguro, me dice.

De modo que leía y anotaba y aprendía español y dejaba pasar el tiempo. Estuve en esa situación casi cinco años. Mientras, iba leyendo, en los periódicos, cada vez con mayor destreza, el resistible ascenso y la irresistible caída de Adolf Hitler y sus hordas. Por fin, en 1945, se abrió una sucursal del Banco Polaco en Concordia y me mandaron aquí, en realidad para sacarse de encima a un tipo tan inservible como yo.

Llegué a esta bella ciudad entrerriana, prosiguió Tardewski, en enero de 1945. Tres meses después renuncié al Banco, me dediqué a la enseñanza privada de idiomas y a jugar al ajedrez por plata en el Club Social. Aquí se juega a todo por plata, pero cuando vieron lo bueno que yo era dejaron de aceptarme desafíos por dinero y me ofrecieron una sección de comentarios ajedrecísticos en el diario. Sección de la que estoy muy orgulloso y que aún conservo.

En Concordia me asimilé rápido. Nadie sabía nada de mí. Yo era lo que era, es decir, un fracasado. Había ido perdiendo en el camino esa pedantería natural que arrastraba desde mis tiempos de Cambridge, esa expresión casi involuntaria de desdén y de hastío que difunden, como un aura, quienes están seguros de la superioridad, de su refinada inteligencia y del éxito que les espera en el porvenir. Ya no era para nada, o mejor ya no me creía para nada, el joven brillante que había sido, de modo que me fue fácil hacer amigos. Para todos yo era un exiliado que jugaba muy bien al ajedrez y conocía (como todos los europeos) varios idiomas.

A la vez yo me había convertido en un solitario, el prototipo del hombre solo, sin profesión, sin ningún lazo social, un individuo sin pasado y sin ilusiones.

Una noche en el Club, casi sin darme cuenta, discutí unos problemas filosóficos con Maier y a mi fama de ajedrecista políglota se agregó la de filósofo amateur (que es lo que soy). Eso amplió mi campo profesional (dejé de enseñar idiomas y empecé a preparar estudiantes secundarios que, como usted sabe, se renuevan todos los años y se van a examen con más frecuencia que los habitantes de Entre Ríos al extranjero), y mejoré en muchos sentidos mi vida.

La mejoré, dijo, en más de un sentido, porque gracias a mi fama local de filósofo pude intimar con el Profesor Maggi. El Profesor había llegado a fines de los años '50 y yo lo conocía, porque acá todo el mundo se conoce; una noche se me acercó y me dijo que le interesaba conversar conmigo sobre Vico y Hegel; me explicó que lo necesitaba porque un fulano llamado Pedro de Angelis había sido un experto en Vico y un buen conocedor de Hegel y que Enrique Ossorio, una especie de héroe confuso y desdichado cuya vida le interesaba reconstruir, había tomado cursos con De Angelis y en sus escritos circulaban ciertas referencias filosóficas que le gustaría discutir conmigo. Así fue como empezamos a frecuentarnos.

El Profesor, dijo Tardewski, comprendió instantáneamente mi situación; comprendió que eso que a los demás les inspiraba una vaga piedad había sido construido por mí, a la vez ardua y azarosamente, a lo largo de mi vida. Lo comprendió enseguida y fue el único capaz de ironizar sobre eso que a los otros les parecía una tragedia. No porque él fuera como yo: no tenía nada de fracasado. Al menos en el sentido que yo le doy al término. Era un hombre que se dedicaba con firmeza a cualquier cosa que se le presentara; nunca pensaba en términos de éxito o fracaso individual. Una vez me leyó una frase de Le Roy Ladurie, el historiador francés, por acá debe andar, dijo Tardewski y se levantó y fue hasta el mueble que estaba al fondo de la pieza. De un cajón sacó un cuaderno negro con tapas de hule y volvió a cruzar el cuarto mientras lo hojeaba. Después se puso un par de lentes redondos, sin montura, y empezó a leer. La capacidad de pensar la realización de su vida personal en términos históricos, lee Tardewski la frase de Le Roy Ladurie anotada en su cuaderno de citas, fue para los hombres que participaron en la Revolución Francesa tan natural, como puede ser natural para nuestros contemporáneos, cuando llegan a los cuarenta años, la meditación acerca de su propia vida como frustración de las ambiciones de su juventud. Veía condensada en esa frase, dijo, mientras se quitaba los anteojos y volvía a guardar el cuaderno en el cajón, lo que Marcelo llamaba, no sin ironía, la mirada histórica. El se reía de mí y me decía que esa teoría sobre el hombre fracasado como encarnación moderna del filósofo no era más que una racionalización. Un hombre solo siempre fracasa, decía Maggi, dijo Tardewski. Lo único que interesa, decía, es preguntar para qué sirve o al servicio de qué está ese fracaso individual. Claro que usted no puede entender una pregunta planteada en términos de utilidad histórica, decía. Conoce mal la historia, me decía el Profesor, me dice Tardewski, perdone que se lo diga. Se ha dejado arrastrar por su propia utopía personal. Esa lucidez que usted busca en la soledad, en el fracaso, en el corte con cualquier lazo social, es una falsa versión privada de la utopía de Robinson Crusoe. No hay lucidez ahí, decía el Profesor; no hay otra manera de ser lúcido que pensar desde la historia. Para el Profesor estaba claro que sólo la historia hacía posible esa *ostranenie* de la que hablábamos hace un rato. ¿Cómo podríamos soportar el presente, el horror del presente, me dijo la última noche el Profesor, si no supiéramos que se trata de un presente histórico? Quiero decir, me dijo esa noche, porque vemos cómo va a ser y en qué se va convertir podemos soportar el presente. Esa fue siempre lo que podríamos llamar su línea de pensamiento. Eramos antagónicos y estábamos unidos. Yo, el escéptico, el hombre que vive fuera de la historia; él, un hombre de principios, que solamente puede pensar desde la historia. La unidad de los contrarios.

Fue por eso, dijo Tardewski, que lo había elegido a Maggi para contarle lo que había comprendido aquel domingo en la pieza de su Hotel en la calle Tres Sargentos. Desposeído y solo en medio de ese desastre, le contaba yo al Profesor, vi de pronto el sentido de lo que me había pasado. Sentado en la cama, afuera llovía, yo me puse a pensar, le digo al Profesor. Todo se presentó frente a mí con extrema claridad. ¿Qué me había llevado hasta ahí? Me encontraba en ese estado de absoluta desposesión, exiliado, con mi patria borrada del mapa, sin dinero, sin lengua propia, sin futuro, sin amigos, sin ropa que ponerme al otro día, y bien ¿por qué? Bastó que moviera un poco la cabeza y viera lo que tenía al lado (un ejemplar del diario

La Prensa) para comprender. Ahí estaba el asunto, le conté al Profesor. Porque en ese diario había un artículo escrito por mí, que yo no podía leer, escrito por un polaco llamado Tar*do*wski donde yo había querido dejar asentada una tesis, grabada, como quien dice, la propiedad de un descubrimiento. Arrastraba en eso uno de mis últimos lastres, esto es, el viejo lastre de mi formación académica. Porque en realidad yo había escrito ese artículo para fijar mi prioridad sobre esa idea o descubrimiento que había realizado. Es decir que si se daba el caso hipotético que se le ocurriera a otro la misma idea yo podía acreditar que me había anticipado, con lo cual la idea del otro quedaba convertida en mi idea, es decir, en una idea mía repetida después por el otro. El robo, como usted se da cuenta, vino por otro lado. Para defenderme de un futuro ladrón, etc. ¿Qué había hecho yo en ese artículo? Anticipar que pensaba escribir un libro fundado en ese descubrimiento personal. Anotaba la hipótesis central; señalaba que los acontecimientos europeos y mi forzado exilio impedían, por el momento, concluir las investigaciones, completar el material documental, etc. *pero* que de todos modos la idea estaba ahí y era mía. Era ridículo, bien pensado. Publicar en *La Prensa,* en plena guerra mundial, un artículo traducido del inglés para asegurarme así la propiedad intelectual de un futuro libro y recibir como respuesta un robo real. ¿No era una lección? Yo había actuado como un académico ridículo. Un académico sin academia; un universitario sin Universidad; un polaco sin Polonia; un escritor sin lenguaje. *Pero* es difícil desterrar el instinto de propiedad. Hay pocas ideas en las Universidades (hay pocas ideas en todos lados, Wittgenstein tuvo dos en toda su vida) pero todos creen que *eso* que piensan es una idea. Ideas pocas, hipótesis originales escasísimas, oro fino; el robo es el fantasma que recorre las universiones europeas (y no sólo europeas). Ahora bien, para decirlo de una vez; esa idea, ese descubrimiento que me había costado (en todo sentido) tan caro: ¿era mía? No era mío dado que lo había encontrado por azar, gracias al cruce casual de dos hechos o acontecimientos. Todo en realidad había dependido de un error en el fichero de la biblioteca del British Museum. Usted y yo, Tardewski, me decía el Profesor, nos cruzamos, en sentido figurado, en el British Museum. Usted viene del British Museum y yo voy hacia el British Museum. Entendí bien lo que quería decirme, me dice Tardewski. Yo venía de ahí, de una lectura, obra del azar, que me arrancó de la filosofía y de Cambridge y me llevó a Varsovia y de ahí a Marsella y de ahí a una pieza en el Hotel Tres Sargentos y de ahí acá, Concordia, Entre Ríos. El Profesor por su parte se interesaba cada vez más en el filósofo que pasó años trabajando en una sala de la biblioteca del British Museum. El iba hacia ahí. Yo venía de ahí. Un cruce metafórico. Para entenderlo un poco mejor tal vez convenga, dijo Tardewski, explicar qué quiere decir que yo venía del British Museum o en qué sentido venía de ahí o, si usted prefiere, qué fue lo que descubrí esa tarde de 1938.

Yo había ido como todos los días a las biblioteca para revisar unos libros que necesitaba usar en mi tesis. Tenía que consultar un volumen de los escritos del sofista griego Hippias y, al pedir el ejemplar, por un error en la clasificación de las fichas, en lugar del volumen del filósofo griego me entregaron una edición anotada del libro de Adolf Hitler *Mein Kampf*. Debo confesar, prosiguió Tardewski, que jamás había leído yo ese libro, nunca se me hubiera ocurrido, por otra parte, leerlo, de no haber sido por ese error que conmovió y sobresaltó a la eficiente y pálida referencista de la biblioteca del British Museum y que también me sobresaltó y me conmovió a mí, pero durante años.

Esa confusión en el orden de un fichero, producida en 1938, fue lo que hizo posible, entre otras cosas, que usted y yo estemos ahora conversando aquí; al menos hizo posible que yo viniera a Concordia, conociera al Profesor Maggi, etc. Pero no nos anticipemos, dijo. Queda todavía un poco de vino, me dice. ¿Quiere? Bueno, le digo.

Tardewski dijo entonces que jamás se le hubiera ocurrido leer el libro de Hitler y que sin duda jamás hubiera llegado a conocer esa edición, anotada por un historiador alemán de firmes convicciones antifascistas, de no haber sido por la casualidad. Dijo que esa tarde había pensado: ya que el azar mezcló (quizás por primera vez en la historia, como aseguraba la trémula referencista) las fichas de la serie *HI* en la biblioteca del British Museum, ya que el azar, dijo, o algún nazi encubierto que para el caso es lo mismo, había mezclado de ese modo las cartas, él, Tardewski, que además era supersticioso (como buen positivista lógico) creyó percibir ahí lo que en verdad había sucedido, esto es, dijo, un llamado, una señal del destino. Si no lo percibí con claridad, igual obedecí, usando el argumento de que por esa tarde podía desatender la lectura de los sofistas griegos y descansar, de paso, de la fatigosa elaboración de mi tesis. En fin, dijo Tardewski, que me pasé la tarde y parte de la noche en la biblioteca del British Museum leyendo ese extraño y delirante monólogo autobiográfico que Hitler había escrito, en realidad había dictado, en el castillo de Landsberg, en 1924, mientras purgaba (es un decir) una pena de seis meses de condescendiente prisión. Lo primero que pensé, lo que comprendí de inmediato fue que *Mein Kampf* era una suerte de reverso perfecto o de apócrifa continuación del *Discurso del Método*. Era el *Discurso del Método* escrito no tanto (o no sólo) por un loco y un megalomaníaco (también Descartes era un poco loco y era megalomaníaco) sino por un sujeto que utiliza la razón, sostiene su pensamiento y construye un férreo sistema de ideas sobre una hipótesis que es la inversión perfecta (y lógica) del punto de partida de René Descartes. Esto es, dijo Tardewski, la hipótesis de que la duda no existe, no debe existir, no tiene derecho a existir y que la duda no es otra cosa que el signo de debilidad de un pensamiento y no la condición necesaria de su rigor. ¿Qué relaciones había, o mejor, qué línea de continuidad se podía establecer (fue lo primero que pensé esa tarde) entre *El discurso del método* y *Mi lucha*? Los dos eran monólogos de un sujeto más o menos alucinado que se disponía a negar toda verdad anterior y a probar de un modo a la vez imperativo e inflexible, en qué lugar, desde qué posición se podía (y se debía) erigir un sistema que fuera a la vez absolutamente coherente y filosóficamente imbatible. Los dos libros, pensé, dijo Tardewski, eran un solo libro, las dos partes de un solo libro escrito con la distancia de tiempo necesaria entre uno y otro para que el desarrollo histórico hiciera posible que sus ideas se complementaran. ¿Podría ser ese libro (pensaba yo mientras anochecía en la biblioteca) considerado como una flexión final en la evolución del subjetivismo racionalista inaugurado por Descartes? Pienso que sí, pensé esa tarde y lo pienso también ahora, dijo Tardewski. Me opongo con esto, por supuesto, como usted habrá notado enseguida, a la tesis sostenida por Georg Lukacs en su libro *El asalto a la razón* para quien *Mi lucha* y el nazismo no son más que la realización de la tendencia irracionalista de la filosofía alemana que se inicia con Nietzsche y Schopenhauer. Para mí, en cambio, dice Tardewski, *Mi lucha* es la razón burguesa llevada a su límite más extremo y coherente. Incluso le diré más, me dijo Tardewski, la razón burguesa concluye de un modo triunfal en *Mein Kampf*. Ese libro es la realización de la filosofía burguesa. Es la filosofía como crítica práctica; no la filosofía (dicho sea de paso) según la entendía ese otro filósofo alemán que se pasaba los días en una sala del British Museum leyendo los escrupulosos informes escritos por los honestos y británicos inspectores de fábrica en la época de la Revolución Industrial; sino la *otra* filosofía como crítica práctica: la que yo estudiaba en Cambridge.

Dijo entonces Tardewski que si la filosofía siempre había buscado el camino de su realización ¿cómo extrañarse que Heidegger haya visto en el *Führer* la concreción misma de la razón alemana? No hago un juicio moral, dijo Tardewski, se trata para mí de un juicio lógico. Si la razón europea se realiza en este libro (me decía yo al leerlo) ¿cómo extrañarse que el máximo filósofo viviente, es decir, aquel a quien se consideraba la mayor inteligencia filosófica de occidente, lo haya comprendido de inmediato? Entonces el cabo austríaco y el filósofo de Friburgo (con el Ser habitando la casa de al lado, según decía Astrada) no son otra cosa que los descendientes directos y legítimos de ese filósofo francés que se fue a Holanda y se sentó ante el fuego de la chimenea para fundar las certezas de la razón moderna. Un filósofo sentado frente al hogar, dijo Tardewski, ¿no es ésa la situación básica? (Sócrates en cambio, como usted sabe, me dijo entre paréntesis, se paseaba por las calles y las plazas) ¿No está allí condensada la tragedia del mundo moderno? Es totalmente lógico, dijo, que cuando el filósofo se levanta de su sillón, después de haberse convencido de que es el propietario exclusivo de la verdad más allá de toda duda, lo que hace es tomar uno de esos leños encendidos y dedicarse a incendiar con el fuego de su razón el mundo entero. Sucedió cuatrocientos años después pero era lógico, era una consecuencia inevitable. Si al menos se hubiera mantenido *sentado*. Pero usted sabe lo difícil que es mantenerse mucho tiempo sentado, dijo Tardewski y se incorporó y empezó a pasearse por el cuarto.

Ese tipo entonces, sentado ahí, en Holanda, decía Tardewski mientras se paseaba, en Amsterdam, creó, escribiendo ese monólogo. Se detuvo. ¿Sabía usted, me dijo y empezó otra vez a caminar, que Valéry dice que *El discurso del método* es la primera novela moderna? Es la primera novela moderna, dice Valéry, me dice Tardewski, porque se trata de un monólogo donde en lugar de narrarse la historia de una pasión se narra la historia de una idea. No está mal ¿eh? En el fondo, visto así, se podría decir que Descartes escribió una novela policial: cómo puede el investigador sin moverse de su asiento frente a la chimenea, sin salir de su cuarto, usando sólo su razón, desechar todas las falsas pistas, destruir una por una todas las dudas hasta conseguir descubrir por fin al criminal, esto es, al *cogito*. Porque el *cogito* es el asesino, sobre eso no tengo la menor duda, dijo Tardewski y se detuvo una vez más y me enfrentó. No está mal ¿eh? La idea de Valéry. No, le digo, no está mal. Más o menos por esa misma época, le digo, Brecht decía que no había nada más bello que un teorema. El teorema de Gödel, decía Brecht, le digo a Tardewski, es más bello que el más hermoso soneto de Baudelaire. Tardewski comenzó otra vez a pasearse por el cuarto. *Los amantes fervorosos y los sabios austeros*, recitó mientras andaba, *cuando llegan a la madurez, aman por igual a los gatos poderosos y calmos*. No están mal tampoco, dijo, los sonetos de Charles Baudelaire.

Bien, dijo después, si *El discurso del método* es la primera novela moderna en el sentido indicado, entonces *Mi lucha* es su parodia, como diría usted, dijo Tardewski y volvió a sentarse. Ese monólogo alemán clausura el sistema inaugurado por el monólogo francés. El relato de Hitler muestra cómo se ha canonizado y cómo han envejecido las formas de discurso inaugurados por Descartes. De allí que se lo pueda ver como una parodia.

En resumen, dijo después, y para dejar de lado a Valéry, *El discurso del método* es a *Mi lucha* lo que *Madame Bovary* es al *Finnegan´s Wake*. Pasamos de los sueños románticos a los velorios infernales. Madame Bovary soy yo (es decir: yo soy los sueños románticos de la razón, esa señora francesa); los judíos son los gemelos Shem y Shaum (es decir: el discurso luminoso de la razón se ha fragmentado en los murmullos despedazados de las víctimas nocturnas).

En ese velorio nadie despierta, todos han muerto, dijo Tardewski. ¿Y Anna Livia Plurabelle?, le pregunto yo. Anna Livia Plurabelle es Eva Braun. Mejor: es Madame Bovary reencarnada en Eva Braun (las dos se mataron con arsénico, por lo demás). ¿O no es *metempsicosis* la palabra que Molly no entiende y cuyo significado le pregunta a Bloom, el judío errante? También podría decirse, dijo Tardewski, que Eva Braun es Anna Livia Plurabelle, drogada. Pero no era su intención, dijo Tardewski, proponer la hipótesis de leer *Mein Kampf* como una novela.

No era esto lo que yo pensaba mientras anochecía en

la biblioteca del British Museum esa tarde de 1938, dice ahora Tardewski, que ha vuelto a ponerse de pie y se apoya en la pared, debajo de la producción fotográfica de la cara de ese hombre que me es vagamente conocido y a quien sin embargo no logro identificar. Pensaba, mientras leía *Mi lucha*, dijo, que en ese libro se encontraba, como le he dicho, la crítica práctica y la culminación del racionalismo europeo. Esa comprobación significó el principio del fin de la filosofía para mí. Lo había comprendido, dijo, mucho después, pero esa tarde, dijo, la filosofía, tal como la enseñaban en Cambridge, terminó para mí. Prefiero, dijo, ser un fracasado a ser un cómplice. ¿Recuerda a Maier? Yo no hacía nada, dice cuando el remordimiento lo obliga a justificarse. No maté a nadie, no hice otra cosa que pasarme toda la época de Hitler metido en una biblioteca, clasificando libros de biología. Yo también estaba en una biblioteca ¿dónde iba a estar si me pasé la mitad de mi vida metido en una biblioteca?, pero el azar me ayudó y empecé de un modo lento, pero inflexible, a comprender. Esto es la filosofía, pensaba, a esto hemos llegado, es así como el *cogito*, ese huevo infernal empollado por Descartes junto a la chimenea, en su casa, en Holanda, se ha desarrollado. El sueño de *esa* razón produce monstruos. En el fondo, fíjese usted, yo soy un racionalista, creo en la razón, no piense que me he puesto a la moda de estos días en que se predican las virtudes de la irracionalidad. Pero *esa* razón nos llevó directo a *Mi lucha*. Por eso Heidegger, pensaba yo, pudo decir en julio de 1933, en su célebre *Völkischer Beobachter*, siempre en Friburgo: "Ni los postulados, ni las ideas son las reglas del Ser. Sólo la persona del Führer es la razón presente y futura de Alemania y también su Ley". El ha leído y comprendido *Mein Kampf*, pensaba yo. "A partir de ahora no le debe importar averiguar si esto o aquello es verdad, sino sólo si está o no de acuerdo con el sentido del movimiento nacional socialista"? Año 1933. Heidegger *en* Hitler. ¿Y yo escribía una tesis sobre Heidegger *en* los presocráticos? ¿No había sido una revelación filosófica, un trueque metafísico, el hecho de que al pedir el libro de un viejo y sabio filósofo sofista hubiera yo recibido *Mi lucha* de Hitler? Si lo mismo, exactamente, había hecho Heidegger. Cambiar, sin necesidad de que lo ayudara el azar, a Parménides (o a Hippias, para el caso es lo mismo) por Hitler. No hay nada de monstruoso allí, quiero decir, no es un error moral, es una decisión lógica. Este tipo, Heidegger, ha leído *Mi lucha* y después, sentado frente a la chimenea, quizás en la casa del vecino, en Friburgo, se ha puesto a *pensar*. *Ser* y *Tiempo:* hay que darle tiempo al ser para que se encarne en el Führer, eso es todo, pensaba yo esa tarde, sentado en la biblioteca del British Museum. De modo que la filosofía había empezado a terminarse para mí. El orden de la serie HI en el catálogo de la biblioteca. Bastó, como usted ve, un simple cambio de fichas. Hi, hi, chillaba yo. Hi, hi, como un bicho al que están obligando a salir de su madriguera. Hi, hi, chillaba yo, aterrorizado.

Empezaba a preparar, sin saberlo, el viaje que me traería a Concordia, a esta casa, a esta amable tertulia con usted. ¿Qué hubiera sucedido de haber recibido, como correspondía, el volumen de los escritos de Hippias? ¿De no haberse producido esa perversa intercalación? Pregunta sin sentido, dijo Tardewski, pero de fácil respuesta. Hubiese avanzado, con la luminosa felicidad que puede darle a un hombre la pura abstracción filosófica, en mi lectura de los fragmentos que se han conservado del sofista Hippias y al final de la tarde hubiera ordenado mis papeles y habría regresado a mi pieza estudiosa de Cambridge con la misma ciega confianza en mi propio porvenir con que había cruzado, ese mediodía, las escalinatas del British Museum. Hubiera seguido trabajando en mi tesis y sin duda no me hubiera decidido a pasar mis vacaciones en Varsovia, en agosto de 1939, para buscar ciertos datos sobre Kafka, con lo cual no hubiera venido a parar a este rincón del litoral argentino, etcétera.

Pero no era, dijo, sobre las leyes del azar que me interesa reflexionar, hoy, aquí, con usted. A todos nos fascina pensar en las vidas que podríamos haber vivido y todos tenemos nuestras encrucijadas edípicas (en el sentido griego y no vienés de la palabra), nuestros momentos cruciales. A todos nos fascina, dijo, pensar en eso y a algunos esa fascinación les cuesta cara. Por ejemplo, dijo, a un amigo mío ese tipo de pensamiento le costó la vida. El amigo de Tardewski, por detenerse a mirar la vidriera de una zapatería, llegó veinte segundos tarde a la estación y vio cómo se iba su tren. Perdió ese tren, llegó tarde a una cita y su prometida, que lo esperaba al final de la línea, se ofendió, consideró el retraso un flagrante ejemplo de desamor no quiso escuchar razones, rompió su compromiso matrimonial con mi amigo y se casó con un oficial del ejército polaco, causando tan hondo dolor en mi amigo que durante días le fue literalmente imposible levantarse del lecho y se pasaba las horas tendido, pensando en los acoplamientos militares de su amada con el oficial de caballería. Fumaba, imaginaba frecuentes y aterradoras escenas eróticas en las que su ex prometida se prestaba, con una alegría cínica y viciosa, a todos los caprichos ecuestres del oficial; tendido en la cama veía el último vagón del tren que se iba, pensaba en eso, fumaba, hasta que una madrugada se quedó dormido con el cigarrillo encendido y murió apasionadamente quemado entre las llamaradas de un lecho sólo en sentido figurado quemado por el fuego de la pasión.

No sirve de nada pensar en la casualidad, sobre todo si el que piensa es alguien como yo, dijo Tardewski, convencido de que todo está determinado y que el azar no es otra cosa que el nombre que le damos a la disposición de las fichas de la serie *HI* en el catálogo de la biblioteca del British Museum. No se trataba entonces, dijo, de las leyes del azar, sino de algo más secreto. Sea como sea, en lugar de volver a mi pieza como hubiera hecho de haber recibido el libro que realmente había ido a consultar, me quedé hasta la medianoche fascinado por el libro de Hitler y sobre todo por el descubrimiento que hice ese día a partir de la lectura de *Mein Kampf*. No el descubrimiento ligado a las deshilvanadas reflexiones filosóficas que le acabo de exponer, sino otro. *Otro* descubrimiento. O mejor, *el* descubrimiento, sobre el cual trataré ahora de ceñir mi relato, dijo Tardewski, tratando de evitar las digresiones. Usted Tardewski, me decía siempre el Profesor, se parece al general Lucio Mansilla, sufre la misma avidez digresiva que él. ¿Y quién es ese general Mansilla?, le preguntaba yo. Un pituco del siglo XIX que tenía mucha facilidad de palabra, me contestaba el Profesor. Un dandy de quien puede decirse que hizo, de su vida toda, una sola y gran digresión. De modo que trataré de evitar las digresiones, dijo Tardewski, y voy a ceñirme al relato de ese descubrimiento que ayudó a cambiar mi destino.

Yo recibí *Mein Kampf* de Hitler en una excelente y muy rigurosa edición crítica, prologada y anotada por un historiador alemán, Joachim Kluge, que en ese momento vivía exiliado en Dinamarca y era amigo, dicho sea de paso, de Walter Benjamín. *Esa* edición, precisamente, fue la que hizo de mí lo que soy, dijo Tardewski. Esa edición y la lectura dominical del *Times Literary Supplement*.

Aparte de sus reflexiones sobre la filosofía implícita en *Mi lucha*, le habían interesado también, como es lógico, dijo, los entretelones de la extraña, por no decir extraordinaria vida de Hitler. Y en especial una época de su vida, la menos histórica podríamos decir, o la menos pública; quiero decir, dijo, me interesaron, antes que nada, sus años de formación y en especial los comentarios y las notas con las que el Doctor Kluge analizaba y ampliaba el relato que hacía Hitler de esa época de su vida.

Entre 1905 y 1910, es decir, a partir de sus 18 años, la existencia de Hitler es a la vez increíble y patética. Lo que verdaderamente quiere Hitler en ese tiempo es convertirse en alguien en el mundo del arte, quiere ser un artista, un pintor. Practica una suerte de bohemia errante por los ambientes y los bares de Viena frecuentados por escritores e intelectuales, por toda esa gavilla de fracasados de los que hablábamos hace un rato. Es su madre quien lo mantiene mientras él desarrolla la existencia típica del soñador solitario que espera hacer grandes cosas en la vida. En realidad Hitler quería ser un gran pintor. Ahora bien, dijo Tardewski, la pretensión de Hitler de convertirse en un gran pintor era de antemano imposible. Ese joven desteñido y rencoroso tenía más posibilidades de convertirse, digamos, en un dictador, en una especie de César mezquino que sojuzga a media Europa, que de llegar a ser un pintor, no digo grande, sino del montón. Pero él quería ser un gran pintor. ¿Qué entendía Adolf Hitler por ser un gran pintor? Es algo difícil de saber, posiblemente se ilusionaba, sobre todo, con alcanzar el éxito que se supone tiene un pintor después que su obra es reconocida y admirada. Hitler, sin duda, quería tener la fama póstuma de los grandes pintores, pero de entrada. En fin, Hitler como pintor era pésimo. Peor que pésimo: era kitsch. Copiaba e ilustraba tarjetas postales y las vendía en los bares, así que figúrese. Decidido, sin embargo, a hacer carrera y a perfeccionarse, intenta ingresar en la Academia de Bellas Artes, pero fracasa dos veces. Primero en 1907 y después en 1908. No puede pasar los exámenes. ¿Qué hubiera sucedido de haber logrado ingresar? Pregunta que dejamos de lado porque ya hemos descartado las variantes de lo posible. De todos modos la aventura de Hitler como pintor, su ingreso en la Academia, su primera exposición, su traslado a París, etc., podrían servir para escribir una excelente versión picaresca de la ciencia ficción. Algo en el estilo de Philip Dick pero cómico. ¿Usted leyó a Philip Dick? me pregunta Tardewski. Le contesto que he leído a Philip Dick.

Bien, dice Tardewski, dejemos de lado qué hubiera pasado si Hitler hubiera triunfado como pintor; acá sólo nos interesan los hechos reales. Lo que importa es que en esos años, digamos entre 1905 y 1908, Hitler adquiere y decanta, de un modo más o menos espontáneo, la típica ideología anticapitalista del artista marginado que se siente rechazado por la sociedad burguesa, materialista y vulgar. Por otro lado Hitler realiza paralelamente lo que podríamos llamar su *educación*, su aprendizaje en el sentido alemán de la palabra, así que entramos ahora en su *bildungsroman* intelectual.

La detallada investigación de Kluge permitía hacerse una idea del tipo de textos que constituyeron la base ideológica de Hitler y lo impulsaron a la política. Entre los principales se destacaba una revista, una especie de folletín de gran difusión que llevaba por título el sonoro nombre de la diosa germánica de la primavera: *Ostara* (a esta revista hace dos referencias Kafka en su Diario, cuestión importante para acercarnos al centro de la historia que estoy tratando de contarle, dijo Tardewski, cerrando otro de sus imaginarios paréntesis). Esa revista, cuya colección yo consulté, unos días después, en la misma biblioteca del British Museum, predicaba una mitológica historia racista, tan excéntrica como sanguinaria, confeccionada por un ex fraile llamado Adolf Lanz (1874-1954). Este *otro* Adolf se hace llamar Adolf Lanz von Liebenfels e intenta fundar una Orden de Varones, integrada por arios, rubios de ojos azules, etc. El Castillo de la Orden, continuó Tardewski, se encontraba en Werfenstein, Baja Austria, y fue adquirido con la ayuda económica de industriales alemanes interesados en las ideas de von Liebenfels. Esa conjunción primitiva de un Adolf mesiánico con poderosos industriales alemanes parece una parodia anticipada de lo que va a ser la siniestra conjura de Hitler y su pandilla de maniáticos con los refinados círculos de la alta burguesía industrial alemana de los Krupp y los Gerlach que lo llevarán al poder en 1933. En 1907 el ex fraile iza la bandera con la cruz esvástica como símbolo de su movimiento en el castillo de la Orden en Werfenstein. El sistema de este extravagante fundador anticipado de una heroica mitología aria está expuesto en su obra *Theozzologie* (415 páginas), publicada en 1904. Se trata, como se ve desde el título, de una especie de zoología teológica donde, apoyada en una inflexible prosa barroca que intenta, sin éxito, imitar los ritmos que adquiere en alemán la Biblia traducida por Lutero, circula una abstrusa mezcolanza mística, animada de un racismo biologicista sublimado religiosamente.

Hitler leyó y releyó con cuidado esta obra, de la que transcribe párrafos enteros en *Mein Kampf*. Por otro lado en 1908, Hitler le escribe a Lanz y le pide varios ejemplares de *Ostara* porque quiere completar su colección.

Vemos entonces, dice Tardewski, que en esos años erráticos, de lecturas desordenadas y bohemia artística, se va configurando la cosmovisión de Hitler. Pero permítame, mejor, dice, que le lea algo. Se levanta y cruza el cuarto ahora hacia el mueble que está al fondo. Abre el cajón y saca el cuaderno negro. Bien, acá, dice Tardewski después de colocarse el par de lentes, acá, dice y vuelve a sentarse, el mismo Hitler señala, fíjese usted, dice y empieza a leer. Durante ese tiempo, leyó Tardewski y después me miró, esto lo dice Hitler en *Mi lucha*. Durante ese tiempo elaboré una imagen del mundo y una *Weltanschauung* que habría de convertirse en el granítico fundamento de mi quehacer. Aparte de lo ya acumulado por mí en esos años, leyó Tardewski y volvió a levantar la cara hacia mí, se refiere, dijo, a los años que van de 1905, 1906 a 1910. Aparte de lo ya acumulado por mí en esos años muy poco tuve que aprender. Y modificar, nada, leyó Tardewski lo que había escrito Adolf Hitler en *Mi lucha*. Y modificar nada, dijo, hay que reparar en eso, dijo Tardewski y se quitó los lentes. Podemos decir entonces que, sin dejar de soñar con su futuro de gran artista y sin dejar de vivir como un bohemio, hacia fines de 1908, comienzos de 1909, Hitler tenía una concepción del mundo casi constituida, incluso constituida de un modo crudo y a flor de piel. Este es el primer punto que me gustaría retener, dijo Tardewski.

Segundo punto. Cuestión central. Un episodio oscuro y misterioso en la vida de Hitler que fue para mí como un imán, en esa tarde de 1938.

Hitler desaparece de Viena durante casi un año, entre octubre de 1909 y agosto de 1910. Desaparece, no se sabe qué ha sucedido. Sus biógrafos oficiales alteran la cronología y el mismo Hitler modifica las fechas de *Mi lucha* para borrar ese vacío.

Kluge, investigador paciente y muy sagaz, descubre hacia 1935 el secreto de esa desaparición cuidadosamente encubierta por Hitler. Descubre, antes que nada, el *motivo* de esa desaparición. Permítame que vuelva a leerle algo, dice Tardewski mientras se ajusta los lentes. Es Kluge quien escribe, dice. Las razones de su encubierta y abrupta desaparición estuvieron durante largo tiempo poco claras. La verdad, como lo demuestran los documentos que adjunto en el *Apéndice 3* de esta edición, leyó Tardewski en su cuaderno de citas, lo escrito por el historiador antifascista Joachin Kluge en las notas a su edición crítica de *Mein Kampf* de Adolf Hitler publicada en Londres de 1936 por la editorial *German Liberty* de los exiliados alemanes, es la siguiente. Hitler eludió el deber de alistamiento militar que se cumplía entre 1909 y 1910. Su desaparición fue una huida del servicio militar. La pesquisa de las autoridades austríacas provocó su detención provisional y su traslado a Salzburgo en setiembre de 1910, leyó Tardewski y alzó la cara. Este era uno de los objetivos de la investigación de Kluge, dijo mientras se quitaba los lentes. Un hecho, en realidad, otra vez casi paródico: el exaltado defensor del militarismo prusiano, el siniestro constructor de una abominable sociedad militarizada, había sido un desertor. Delito máximo al que podía aspirar un alemán, según las leyes nazis. Pero esta paradoja no fue lo más importante, al menos para mí.

Lo fundamental fue otra cosa; lo que resultó un descubrimiento y un hecho decisivo para mí fue la lectura de una anotación marginal, una breve nota a pie de página, resultado del puntillismo y la manía de exactitud del historiador alemán cuya edición de *Mein Kampf* yo manejaba esa tarde. Kluge señalaba que Hitler había pasado esos meses refugiado en Praga. En esa nota al pie agregaba, al pasar, para demostrar lo detallado de su investigación, que uno de los sitios frecuentados casi diariamente por Hitler era el café *Arcos*, en la calle Meiselgasse de Praga, lugar de encuentro de cierto sector de la intelectualidad checa de habla alemana, los "arconautas", como llamaba Karl Kraus a los artistas, escritores y bohemios que se reunían en ese bar.

Al leer esa pequeña nota al pie se produjo una instantánea conexión, lo único parecido a eso que los científicos y los filósofos suelen experimentar, o al menos describir con alguna frecuencia, y que llaman un *descubrimiento:* la inesperada asociación de dos hechos aislados, de dos ideas que, al unirse, producen algo nuevo. En mi caso se trataba de la conexión entre dos textos leídos de un modo sucesivo y del todo casual.

El día anterior a esa tarde de 1938 que pasé en el British Museum era domingo. En el *Times Literary Supplement* yo había leído una excelente y extensa reseña donde se comentaba simultáneamente la publicación del tomo VI *(Tagebücher und Brief,* Praga 1937) de las *Gesammelte Schriften* de Kafka y la biografía de Max Brod (*Franz Kafka. Eine Biographie. Erinnerungen und Dokumente,* Praga 1937), que completaba y concluía, como un volumen suplementario, la primera edición integral de esas Obras Completas. Entre las citas y los textos de Kafka o de Brod transcriptos en esa reseña hubo una referencia en la que apenas reparé ese domingo pero que se encendió, como una luz, al día siguiente, mientras leía la nota a pie de página de Kluge. Era ésta, dijo Tardewski y volvió a abrir el cuaderno. Max Brod animó al siempre indeciso Kafka a ligarse con los ambientes intelectuales del café *Arcos,* leyó Tardewski, e impidió hasta 1911 que Kafka se aislara del mundo que lo rodeaba. Eso escribía el autor de la crítica del *Times,* dijo Tardewski, y luego incluía un fragmento de una carta de Kafka de enero de 1910, citada por Brod en su Biografía. Estoy contento porque por fin aprendo algo, leyó Tardewski lo escrito por Kafka, de modo que esta semana seguiré conservando mi puesto en la mesa del *Arcos.* Pasaría allí con gusto la noche entera, pues a la siete de la tarde los mejores han llegado, pero temo que si me sumerjo tan hondo en el rumor de esas conversaciones al otro día me sea imposible trabajar. Y no debo desaprovechar el tiempo. Es mejor que permanezca en el café sólo hasta medianoche y que después lea el *Kügelgem:* buenas ocupaciones las dos para un corazón pequeño y para poder dormir cuando me canso. Te saludo cordial: *Franz*.

Enero de 1910. Café *Arcos*, dice Tardewski, calle Meiselgasse, Praga. Se produjo, arrastrando por el más puro azar, lo que podemos llamar un descubrimiento.

Durante las semanas siguientes trabajé buscando los datos que pudieran ampliar y confirmar esa intuición. Y encontré, con una facilidad que me sorprendió a mí mismo, una serie de pruebas irrefutables sobre ese hecho del todo extraordinario. Encontré las pruebas incluso en mucho menos tiempo del que había esperado y en una sucesión que me hizo pensar que los descubrimientos están siempre al alcance de la mano de cualquiera pero que uno suele pasar frente a esos tesoros que brillan a la luz del día, sin ver nada. Porque incluso un investigador, digamos un especialista en Kafka, pudo no haber encontrado, aunque lo hubiera buscado, eso que yo, de un modo totalmente casual, encontré y pude descubrir. Los datos y las evidencias son tan claras que parece imposible que nadie se haya dado cuenta. Por ejemplo, hay dos cartas de Kafka donde se refiere a un exiliado austríaco que frecuenta el *Arcos*. En una, dirigida el 24 de noviembre de 1909 a su amigo Rainer Jauss, Kafka habla de este extraño hombrecito que dice ser pintor y que se ha fugado de Viena por un motivo oscuro. Se llama Adolf, dice Kafka, me dice Tardewski y busca entre las hojas del cuaderno. Se llama Adolf, y su alemán tiene un acento extraño, aunque no más extraño son las historias que cuenta. Extrañas al menos para alguien que se dice pintor, porque los pintores son mudos, dice Kafka, dijo Tardewski al terminar de leerme la primera de las cartas de Kafka donde hay una referencia a un exiliado austríaco llamado Adolf. La segunda es una carta a Max Brod, escrita unos días después, más precisamente, dice ahora Tardewski, el 9 de diciembre de 1909, donde Kafka le habla de un manuscrito, muy posiblemente uno de los borradores de *Preparativos de una boda en el campo*, que había llevado el día antes a la casa de Brod para leerlo. Ayer, lee Tardewski y aclara, se trata del final de la carta. Ayer al discutir el manuscrito yo me encontraba todavía bajo los efectos de mi conversación con Adolf, de quien en ese momento no te hablé. El había dicho ciertas cosas y yo pensaba en ellas y es muy posible que debido al recuerdo de esas palabras se haya deslizado alguna torpeza, alguna sucesión que sólo en secreto sea extraña, leyó Tardewski. De Kafka a Brod, dijo, 9 de diciembre de 1909.

Adolf, dice ahora Tardewski. ¿Cómo es posible, pensaba yo, que nadie lo haya descubierto antes? Pero así son las cosas, me dice. Nadie sabe leer, nadie lee. Porque para leer, dijo Tardewski, hay que saber asociar. La primera, fíjese usted bien, la *primera* anotación del Diario de Kafka es del 12 de mayo de 1910. Allí escribe, dice Tardewski. Los espectadores se inmovilizan cuando el tren pasa a su lado, leyó Tardewski la primera frase de la primera anotación del Diario de Kafka, escrita el 12 de mayo de 1910. Luego, dice Tardewski, hay un espacio. Después se lee, dice, y lee: Su gravedad me mata. Con la cabeza metida en el cuello de la camisa, el cabello inmóvil y peinado sobre el cráneo, los músculos de la quijada tensos, en su lugar..., puntos suspensivos, leyó Tardewski. Inmediatamente, en el renglón siguiente, Kafka transcribe esto: Discusión A. No quería decir eso, me dice, lee Tardewski. Usted ya me conoce Doctor. Soy un hombre completamente inofensivo. Tuve que desahogarme. Lo que dije no son más que palabras. Yo lo interrumpo. Esto es precisamente lo peligroso. Las palabras preparan el camino, son precursoras de los actos venideros, las chispas de los incendios futuros. No tenía intención de decir eso, me contesta A. Eso dice usted, le contesto tratando de sonreír. Pero ¿sabe qué aspecto tienen las cosas realmente? Puede que estemos ya sentados encima del barril de pólvora que convierta en hecho su deseo.

¿Cómo podía ser que nadie comprendiera? se había preguntado Tardewski. ¿O sólo leemos lo que ya hemos leído, una y otra vez, para buscar en las palabras lo que sabemos que están en ellas, sin que sorpresa alguna pueda variar el sentido? Eso se preguntaba, dijo Tardewski, a medida que avanzaba en la certidumbre de su descubrimiento.

Fíjese, me dice ahora, que uno de los amigos de juventud de Hitler, es decir, uno de sus amigos en los tiempos en que Hitler no era otra cosa que un artista del hambre que se sostenía con ilusiones y sueños de grandeza, mientras leía la revista *Ostara,* el músico August Kubizek, escribe en *Adolf Hitler mein Jugendfrend,* Gatez, 1933, citó Tardewski, refiriéndose a los años que nos interesan, 1909, 1910: Adolf Hitler sabía planear tan maravillosamente bien lo que pensaba hacer con el futuro del mundo, sabía exponer de un modo tan fascinante sus planes y sus proyectos, leyó Tardewski en su cuaderno de citas, que habría uno podido escucharlo indefinidamente, tal era el encanto y la seducción de sus palabras y el carácter desmesurado y a la vez meticuloso y prolijo de sus descripciones de lo que el mundo iba a recibir de él en el futuro.

¿A quién puede referirse Kafka si no a ese propagandista del delirio, a ese insignificante profeta del dolor del mundo, cuando escribe en el cuarto borrador de *Descripción de una lucha* lo siguiente? Cuéntemelo todo desde el principio hasta el fin, leyó Tardewski. Si es menos, no lo escucho, se lo advierto. Pero estoy sobre ascuas para oírlo todo de usted. Porque lo que usted planea es tan atroz que sólo al oírlo puedo disimular mi terror.

En esos meses, en Praga, se encontraron el hombre que no tenía más que palabras y planes, un hombre que ha sido definido así, dijo Tardewski. Estaban perfilados ya hacia 1909 los rasgos que habrían de distinguir al fanático y al dictador: un egocentrismo delirante, mezclado con una autocompasión histérica. Junto con esto aparecía ya muy nítidamente en Hitler, leyó Tardewski, una desorbitada obsesión por el futuro, un fluir incesante de palabras donde se iban construyendo sus proyectos, tan gigantescos como inescrupulosos. Esto escribía Joachim Kluge, dijo Tardewski, sobre la juventud de Hitler en sus notas a la edición crítica de *Mein Kampf*. En cuanto a Kafka, dijo, podríamos decir mucho del Kafka de esos años. Brod ha narrado la impresión que producía. Irradiaba de él, lee ahora Tardewski, una fuerza extraordinaria que nunca he vuelto a encontrar en nadie. Nunca pronunció una palabra insignificante, lo que brotaba de él era la expresión precisa de una ironía comprensiva, de un humor dolorido frente a los absurdos del mundo. Así habla Max Brod de aquel Kafka y lo define, sobre todo, como el que sabe oír. Kafka, lee Tardewski, era capaz de oír durante horas. En el mundo se comportaba sobre todo como un oyente reservado y monosilábico. Se comportaba en verdad, leyó Tardewski en su cuaderno de citas, como el que escucha, como el que sabe oír. Y ese es el mejor modo de definirlo, dijo Tardewski. El hombre que sabe oír, por debajo del murmullo incesante de las víctimas, las palabras que anuncian otro tipo de verdad. Oigamos por un momento, dijo Tardewski, la voz de aquel Kafka.

Tengo que encontrar con tanta urgencia a alguien que me roce siquiera con su amistad que ayer me llevé a una ramera a un hotel. Es demasiado vieja para seguir siendo melancólica, sólo la apena, dice, aunque tampoco la asombre, que uno no sea con las rameras tan cariñoso como con la amante. Yo no la he consolado porque tampoco ella me ha consolado a mí.

Kafka, el solitario, dice Tardewski, sentado a una mesa del Café *Arcos*, en Praga, febrero de 1910, y enfrente Adolf, el pintor, un Tittorelli falso y casi onírico. Con su estilo, que ahora nosotros conocemos bien, el insignificante y pulguiento pequeño burgués austríaco que vive semiclandestino en Praga porque es un desertor, ese artista fracasado que se gana la vida pintando tarjetas postales, desarrolla, frente a quien todavía no es pero ya comienza a ser Franz Kafka, sus sueños gangosos, desmesurados, en los que entrevé su transformación en el Führer, el Jefe, el Amo absoluto de millones de hombres, sirvientes, esclavos, insectos sometidos a su dominio, dice Tardewski.

La palabra *Ungeziefer*, dijo Tardewski, con que los nazis designarían a los detenidos en los campos de concentración, es la misma palabra que usa Kafka para designar eso en que se ha convertido Gregorio Samsa una mañana, al despertar.

La utopía atroz de un mundo convertido en una inmensa colonia penitenciaria, de eso le habla Adolf, el desertor insignificante y grotesco, a Franz Kafka que lo sabe oír, en las mesas del café *Arcos*, en Praga, a fines de 1909. Y Kafka le cree. Piensa que es *posible* que los proyectos imposibles y atroces de ese hombrecito ridículo y famélico lleguen a cumplirse y que el mundo se transforme en eso que las palabras estaban construyendo: El Castillo de la Orden y la Cruz gamada, la máquina del mal que graba su mensaje en la carne de las víctimas. ¿No supo él oír la voz abominable de la historia?

El genio de Kafka reside en haber comprendido que si esas palabras podían ser dichas, entonces podían ser realizadas. *Ostara*, diosa germana de la primavera. Cuéntemelo todo desde el principio hasta el fin. Porque lo que usted planea es tan atroz que sólo al oírlo puedo disimular mi terror. Las palabras preparan el camino, son precursoras de los actos venideros, la chispa de los incendios futuros. ¿O no estaba sentado ya encima del barril de pólvora que convirtió en hecho su deseo?

El sabe oír; él es quien sabe oír.

Pensé en Kafka hoy, dice ahora Tardewski, cuando Marconi nos recitó esa especie de poema que dice haber soñado. Pensé decirle, cuando ustedes discutían sobre el título, dice Tardewski, el título debe ser: *Kafka*

Soy
el equilibrista que
en el aire camina
descalzo
sobre un alambre
de púas.

Kafka o el artista que hace equilibrio sobre el alambre de púas de los campos de concentración.

Usted leyó *El Proceso,* me dice Tardewski. Kafka supo ver hasta en el detalle más preciso cómo se acumulaba el horror. Esa novela presenta de un modo alucinante el modelo clásico del Estado convertido en instrumento de terror. Describe la maquinaria anónima de un mundo donde todos pueden ser acusados y culpables, la siniestra inseguridad que el totalitarismo insinúa en la vida de los hombres, el aburrimiento sin rostro de los asesinos, el sadismo furtivo. Desde que Kafka escribió ese libro el golpe nocturno ha llegado a innumerables puertas y el nombre de los que fueron arrastrados a morir *como un perro,* igual que Joseph K., es legión.

Kafka hace en su ficción, antes que Hitler, lo que Hitler le dijo que iba a hacer. Sus textos son la anticipación de lo que veía como posible en las palabras perversas de ese Adolf, payaso, profeta que anunciaba, en una especie de sopor letárgico, un futuro de una maldad geométrica. Un futuro que el mismo Hitler veía como imposible, sueño gótico donde llegaba a transformarse, él, un artista piojoso y fracasado, en el Führer. Ni el mismo Hitler, estoy seguro, creía en 1909 que eso fuera posible. Pero Kafka, sí. Kafka, Renzi, dijo Tardewski, sabía oír. Estaba atento al murmullo enfermizo de la historia.

Muere, Franz Kafka, el 3 de junio de 1924. En esos mismos días, en un Castillo de la Selva Negra, Hitler se pasea por una sala de techos altos y paredes con vitrales. Se pasea de un lado a otro y dicta a sus ayudantes los capítulos finales de *Mein Kampf.* Junio, 1924. Se pasea, el Führer y dicta *Mein Kampf.* Kafka agoniza en el Sanatorio de Kierling. La tuberculosis le ha tomado la laringe, de modo que ya no puede hablar. Hace señas. Sonríe. Trata de sonreír. Escribe notas en un block para Max Brod, para Oskar Braun, para Félix Winbach, sus amigos de toda la vida que están ahí, junto a Dora Diamant. Creo que he empezado en el momento oportuno el estudio de los ruidos emitidos por los animales: esas son las cosas que escribe, porque ya no puede hablar. Junio de 1924. Se pasea, el Führer, rodeado de sus ayudantes, dicta: El primer objetivo será la creación del Gran Imperio Germano Alemán cuyos dominios, dicta, se pasea de un lado a otro, cuyos dominios deben abarcar desde el Cabo Norte a los Alpes y del Atlántico al Mar Negro punto, dicta rodeado de sus ayudantes. Kafka agoniza en el sanatorio de Kierling, cerca de los Klosterneuburg. No puede hablar. Hace señas. Sonríe. Tendido de espaldas sobre la cama, escribe en un block que sostiene, con dificultad, muy cerca de su cara. ¿Puede oír? Se pasea, el Führer. Un Gran Imperio Germano Alemán coma, se pasea, dicta, rodeado de sus ayudantes, de un lado a otro, coma surcado por una poderosa red de autopistas junto a las cuales se establecerán colonias militares germanas punto, dicta *Mein Kampf* el Führer. En el sanatorio Kafka agoniza, estudia el ruido emitido por los animales. Hi, hi, el chillido que emiten las ratas, aterrorizadas, en sus madrigueras. Hi, hi, chillan. Estudia en el momento oportuno el ruido emitido por los animales. Se pasea, rodeado de sus ayudantes, por el salón, el Führer. En el sanatorio Kafka agoniza, no puede hablar, escribe. ¿Puede oír? Junio de 1924. El Führer dicta *Mein Kampf*. Europa al este del Danubio será en el futuro dos puntos en parte coma un enorme campo de maniobras militares coma y en parte lugar de asentamiento de los esclavos del Reich coma, se pasea, de un lado a otro, rodeado de sus ayudantes, esclavos que serán seleccionados en todo el mundo según criterios raciales coma siendo usados y mezclados, se pasea, va y viene, con arreglo a un plan preestablecido coma que se detallará en el momento indicado punto dicta mientras se pasea por los salones del Castillo. ¿Y el Agrimensor? Agoniza. Ya no puede hablar, para entenderse con sus amigos, con su mujer, Dora Diamant, *sólo* puede escribir. Se ha quedado sin voz. Dicta: Todo el Este habrá de ser una enorme colonia como una especie de campo de pastoreo de los esclavos no arios, dicta *Mein Kampf*, Hitler, dice Tardewski, mientras Kafka, a quien la tuberculosis le ha tomado la laringe y ya no tiene voz, sólo escribe para sus amigos más queridos y para su querida Dora Diamant. Se pasea de un lado a otro, lento, el Führer: campo de pastoreo de los esclavos no arios coma, rodeado de sus ayudantes. Pequeñas notas en un block con lápiz, letra trabajosa. Recuerdo un libro oriental: sólo trata de la muerte. Un agonizante yace en el lecho, escribe Kafka, y con la independencia que le confiere la proximidad de la muerte, dice: Siempre estoy hablando de la muerte y no termino nunca de morir. ¿Puede oír? Los esclavos no arios coma con enlace terrestre y directo con el país alemán que constituirá su eje central punto y seguido, se pasea, rodeado por sus ayudantes, de un lado a otro. Siempre estoy hablando de la muerte, escribe, nunca termino de morir. Pero ahora, precisamente, estoy recitando mi aria final. Unas duran más, otras duran menos. La diferencia es siempre cuestión de pocas palabras, dice el agonizante, escribe Kafka tendido en el lecho. A los 180 millones de rusos coma en cambio coma habrá que sumirlos en un envilecimiento progresivo dos puntos, se pasea el Führer. Tiene toda la razón, escribe; el agonizante tiene toda la razón, escribe Kafka. No hay derecho a sonreírse del protagonista que yace herido de muerte, cantando un aria. Nosotros yacemos y cantamos, años y años, toda nuestra vida no hacemos más que cantar, siempre, el aria final, les escribe Kafka a sus amigos en el Sanatorio Kierling. Junio de 1924. Sumirlos en un envilecimiento progresivo dos puntos impedir su procreación como castigarlos si hablan hasta lograr que pierdan el uso de la palabra coma dicta mientras se pasea por los salones del Castillo. La enfermedad le ha tomado la laringe. ¿Puede oír? *Escribe* sus últimas palabras. No hay derecho, escribe, son sus últimas palabras, no hay derecho, el block apretado entre las manos, casi pegado a la cara, tendido de espaldas, no hay derecho a sonreírse del protagonista que agoniza cantando un aria. Se pasea. Hasta lograr que pierdan el uso de la palabra coma impedirles todo aprendizaje para ahogar toda inteligencia y toda posibilidad de rebeldía coma en una palabra coma embrutecerlos, dicta el Führer, dice Tardewski. ¿Quién puede reírse del aria que entona el moribundo? Trata de sonreír. Hace gestos. Se pasea, de un lado a otro. Sólo podrán aprender como máximo las señales necesarias para que sus jefes con mayúscula Jefes, dicta, puedan organizarles metódicamente su jornada de trabajo. Junio de 1924. Kafka agoniza en el Sanatorio donde ha de morir sobre el filo de la medianoche. En el Castillo ¿se oye el aria final que entona el moribundo? Naturalmente coma deberán aprender, se detiene, sus ayudantes de inmediato se detienen, lo rodean. Mejor, dice, tache la frase anterior y comienza otra vez a pasear, las manos en la espalda. Naturalmente coma deberemos enseñarles coma usando el rigor necesario coma a comprender el idioma alemán para asegurar así la obediencia a nuestras órdenes con mayúscula Nuestras Ordenes punto, paseando por los salones del castillo el Führer dicta *Mein Kampf*. Es medianoche. La medianoche del tres al cuatro de junio de 1924. El moribundo ¿alcanza oírlo? Estudio el ruido emitido por los animales. ¿Lo ha oído? Hi, hi, chilla en su madriguera el *Ungeziefer*, hi, hi, chilla, aterrorizado, en medio de la noche, mientras se oyen, lejanos, los pasos de alguien que va de un lado a otro, se pasea, en el Castillo, de un lado a otro, rodeado de sus ayudantes. Hi, hi, chilla en su madriguera el *Ungeziefer* mientras se oye, lejana, la bellísima y casi imperceptible aria final que entona el que agoniza.

Junio 3 de 1924, dice Tardewski.

Kafka es Dante, dice ahora Tardewski, sus garabatos, como él llamaba a sus escritos, inéditos, fragmentarios, inconclusos, son nuestra *Divina Comedia*. Brecht decía, y tenía razón, dice Tardewski, si uno tuviera que nombrar al autor que más se acercó a tener con nuestra época la relación que con la suya tuvieron Homero, Dante o Shakespeare: Kafka es el primero en quien se debe pensar. Por eso yo, dijo

Tardewski, no comparto su entusiasmo por James Joyce. ¿Cómo puede usted pretender compararlos?, dijo. Joyce, como decía esa mujer que borda manteles refiriéndose a los poemas de Marconi, es demasiado ¿cómo decirle?, demasiado trabajosamente virtuoso. Un malabarista, dijo. Alguien que hace juegos de palabras como otros hacen juegos de manos. Kafka, en cambio, es el equilibrista que camina en el aire, sin red, y arriesga la vida tratando de mantener el equilibrio, moviendo un pie y después muy lentamente el otro pie, sobre el alambre tenso de su lenguaje. Joyce era un hombre diestro, no cabe duda; Kafka, en cambio, no era diestro, era torpe y se convirtió en un experto de su propia torpeza. Joyce lleva un estandarte que dice: Soy aquel que supera todos los obstáculos, mientras que Kafka escribe en un block y guarda en un bolsillo de su chaqueta abotonada, esta inscripción: Soy aquel a quien todos los obstáculos superan. Kafka ha dicho, dice Tardewski: Enfrento la imposibilidad de no escribir, la de escribir en alemán, la de escribir en otro idioma, a lo cual se podría agregar casi una cuarta imposibilidad: la de escribir. Esa cuarta imposibilidad era, para él, la suprema tentación. Para él que había sabido decir: Cualquier cosa que escribo. Por ejemplo la frase: El miró por la ventana, escrita por mí, ya es perfecta. ¿De qué perfección se trataba?, dice Tardewski. Por un lado el ideal de Kafka en cuanto a la perfección formal y estilística era tan riguroso que no toleraba transacciones. Pero a la vez supo mejor que nadie que los escritores verdaderamente grandes son aquellos que enfrentan siempre la imposibilidad casi absoluta de escribir.

Sobre aquello de lo que no se puede hablar, lo mejor es callar, decía Wittgenstein. ¿Cómo hablar de lo indecible? Esa es la pregunta que la obra de Kafka trata, una y otra vez, de contestar. O mejor, dijo, su obra es la única que de un modo refinado y sutil se atreve a hablar de lo indecible, de eso que no se puede nombrar. ¿Qué diríamos hoy que es lo indecible? El mundo de Auschwitz. Ese mundo está más allá del lenguaje, es la frontera donde están las alambradas del lenguaje. Alambre de púas: el equilibrista camina, descalzo, solo allá arriba y trata de ver si es posible decir algo sobre lo que está del otro lado.

Hablar de lo indecible es poner en peligro la supervivencia del lenguaje como portador de la verdad del hombre. Riesgo mortal. En el Castillo un hombre dicta, se pasea, y dicta, rodeado de sus ayudantes. Las palabras saturadas de mentiras y de horror, dijo Tardewski, no resumen con facilidad la vida. Wittgenstein vislumbró con toda claridad que la única obra que podía asemejarse a la suya en esa restitución suicida del silencio era la obra fragmentaria, incomparable de Franz Kafka. ¿Joyce? Trataba de despertarse de la pesadilla de la historia para poder hacer bellos juegos malabares con las palabras. Kafka, en cambio, se despertaba, todos los días, para *entrar* en esa pesadilla y trataba de escribir sobre ella.

3

Como usted ha comprendido, dice ahora Tardewski, si hemos hablado tanto, si hemos hablado toda la noche, fue para no hablar, o sea, para no decir nada sobre él, sobre el Profesor. Hemos hablado y hablado porque sobre él no hay nada que se puede decir.

Ya no vendrá esta noche, dijo Tardewski. Tal vez no llegue, el Profesor, esta noche y usted, entonces, por un tiempo quizás no podrá verlo. Eso no tiene importancia, dijo. Sólo tiene importancia, dijo, lo que un hombre decide hacer con su vida.

Yo lo admiraba, sabe usted, dijo después. Era imposible conocerlo y no admirarlo. Atraía a los hombres por lo que era mejor en ellos.

En cuanto a mí, dice ahora Tardewski, usted quizás lo habrá notado, yo soy un hombre enteramente hecho de citas. Por eso para decir algo sobre él tengo que abrir otra vez este cuaderno. Y esto que voy a leerle, dijo, podría ser, quizás, un ejemplo, el mejor ejemplo, de lo que el Profesor fue para mí. Una síntesis, tal vez, de por qué lo respetaba. Un resumen, si usted quiere, de lo que fue para mí esa larga conversación que tuvimos, él y yo, la última noche que pasamos juntos, como usted y yo ahora, aquí, en mi casa, en este mismo lugar.

Nueve días antes de su muerte, lee Tardewski, Immanuel Kant fue visitado por su médico. Viejo, enfermo y casi ciego, se levantó de su asiento y se quedó de pie, temblando de debilidad y musitando palabras ininteligibles. Al fin yo, que he sido su fiel amigo, me di cuenta de que no se sentaría hasta que no lo hiciera el visitante. Este así lo hizo y entonces Kant, leyó *Tardewski*, permitió que yo lo ayudara a sentarse y, después de haber recuperado en algo sus fuerzas, dijo: *El sentido de la Humanidad todavía no me ha abandonado*. Nosotros nos conmovimos profundamente porque comprendimos que para el filósofo la vieja palabra *Humanität* tenía una significación muy profunda, que las circunstancias del momento contribuían a acentuar: la orgullosa y trágica conciencia en el hombre de la persistencia de los principios de justicia y verdad que habían guiado su vida, en oposición a su total sometimiento a la enfermedad, al dolor y a todo cuanto puede implicar la palabra mortalidad. El hombre moral, recordé yo que había escrito Kant treinta años antes, leyó Tardewski, sabe que el más alto de los bienes no es la vida, sino la conservación de la propia dignidad. Y él supo hasta el fin vivir de acuerdo con sus principios.

No quisiera tener que expresarme sólo con citas, dijo Tardewski. El Profesor es alguien de quien puede decirse que jamás lo ha abandonado el sentido de la *Humanität* en la acepción más pura de esta antigua palabra alemana.

Y un hombre que es capaz de vivir según ese principio es alguien que merece, también de mí, el cínico, el sofista, todo mi respeto.

Por eso era él un hombre moral, dijo Tardewski, y por

eso era mi antítesis. Y si le he dicho todo esto es para hacerle ver hasta qué punto el Profesor y yo éramos, uno del otro, el propio antagonista. Yo, el incrédulo, un hombre que sólo utiliza el pensamiento para poder sobrevivir; él, un hombre de principios, capaz de ser fiel en la vida al rigor de sus ideas. Yo, el desterrado; él, un hombre que nació y va a morir en su propio país. No creo que pueda decirse nada más para hacer ver que no soy el indicado para decir nada sobre lo que el Profesor decidió hacer con su vida. No puedo decir nada, salvo leer y recordar frases ajenas. Y ya ve que, sin embargo, él ha confiado en mí.

Por eso, sin duda, el Profesor lo ha enviado a usted a verme. Porque yo soy el que no puede decir nada sobre él.

Por eso, creo, dijo Tardewski, el Profesor me ha dejado lo único de lo que necesitaba desprenderse para quedar libre. Desprendido de eso que era todo lo que en realidad tenía, ahora, él, esté donde esté, el Profesor, ahora ya no tiene nada que temer.

Por eso, dijo Tardewski, él me dejó a mí esos papeles para que se los entregara. Si no ha venido es porque, en el fondo, ya no era necesario. Más importante, dijo, fue dejar esos papeles, decidirse a abandonarlos y elegirlo a usted para que los recibiera.

Tardewski ha dicho eso y nos hemos quedado en silencio. Después él se ha levantado. Ha ido hasta el mueble que está al fondo, en un costado de la pieza, contra la pared. Ha abierto un cajón. Ha sacado unas carpetas. Y ha vuelto hacia aquí para entregármelas. Ha dicho que estos papeles, ahora, son míos. Son suyos, ha dicho Tardewski.

En un sentido, dijo después, este libro era la autobiografía del Profesor. Este era el modo que tenía él de escribir sobre sí mismo. Por eso pienso que en estos papeles encontrará usted todo lo que necesite saber sobre él, todo lo que yo no puedo decirle. Encontrará ahí, estoy seguro, la clave de su ausencia. La razón por la cual él no ha venido esta noche. Allí está el secreto, si es que hay un secreto. Esto que él quiso dejarle, esto que él quiso que usted viajara hasta aquí para buscar, es lo único que realmente interesa y puede explicarlo.

Son tres carpetas, con documentos y notas y páginas escritas con una letra firme y clara.

Tardewski se ha arrimado a la ventana. Está de cara a la débil luz que agrisa el aire de la noche. Está de espaldas a mí. Mira hacia afuera y dice que ya ha empezado a clarear, que pronto va a amanecer.

Está clareando, dice. Pronto va a amanecer.

Yo abro una de las carpetas.

Al que encuentre mi cadáver

Yo soy Enrique Ossorio, nacido y muerto argentino, quien en vida ha querido tener un solo honor: el honor de ser llamado patriota siempre dispuesto a darlo todo por la Libertad de su país. Mi domicilio provisorio es el que ahora se detalla: Callejón del Aguila, número 12, aquí en Copiapó, República de Chile. Hallarán en ese sitio o lugar al ciudadano argentino D. Juan Bautista Alberdi, que es mi amigo más querido; para él he escrito una carta explicando esta mi decisión; la carta puede encontrarse en el cajón de la izquierda de mi mesa de trabajo. El sabrá ocuparse de lo que quede de mí, pues soy como si fuera su hermano.